THE HEATH-CHICAGO
FRENCH SERIES

OTTO F. BOND, *Editor*

SANS FAMILLE

By HECTOR MALOT

ADAPTED AND EDITED BY

RUTH ELIZABETH MEADE
GRACE COCHRAN
AND
HELEN M. EDDY
The State University of Iowa

ILLUSTRATIONS BY CLARA ATWOOD FITTS
Revised Edition

D. C. HEATH AND COMPANY
BOSTON   NEW YORK   CHICAGO   LONDON
ATLANTA   DALLAS   SAN FRANCISCO

PREFACE

Hector Malot's charming story *Sans Famille* has long been popular as an elementary reading text both in high schools and colleges.[1] It is suitable for early reading because of the simplicity of its style, the universal appeal of the story, and its cultural content.[2]

This adaptation differs from all existing text editions of the story in being based upon the French word and idiom frequency lists recently published by the Modern Foreign Language Study.[3] The story has been told in a simple basic vocabulary consisting of 357 different words[4] and 41 idioms.[5] The words are all of high range in the *French Word Book:* 72 per cent are within the range of the first 500;[6] 19 per cent are between 500 and 1,000; 7 per cent, between 1,000 and 1,500; and 2 per cent, 8 words, beyond 1,500. All of the 41 idioms occur in the *Idiom List:* 46 per cent within the range corresponding to the first 500 words of the *Word Book;* 22 per cent in the group corresponding to words 500 to 1,000 in

[1] See John Van Horne, *Modern Language Journal*, III, 143–56; VIII, 215–20, 363–68; also *Publications of the American and Canadian Committees on Modern Languages*, XVII, 228, 283.

[2] *Publications of the American and Canadian Committees on Modern Languages*, XVII, 246.

[3] G. E. Vander Beke, *French Word Book*, and F. D. Cheydleur, *French Idiom List*. Both published by Macmillan, 1929.

[4] Not including (1) French words closely resembling English words in form and meaning or (2) French words followed by their English meaning in the body of the text.

[5] From this count are excluded idiomatic expressions which present no difficulty from the standpoint of comprehension.

[6] Or are included among the 69 items of the Henmon list which were omitted from the Vander Beke list because of their high frequency.

the *Word Book;* 15 per cent in the range of words 1,000 to 1,500; and 17 per cent, 7 idioms, beyond the range of the first 1,500 words.

The place of the story in the "Heath-Chicago French Series" is after Lesson X in *Beginning French: Training for Reading*[1] and Story X in *Si nous lisions.*[2] It is written within the limits of the vocabulary[3] and grammatical forms and usages that have been presented in the first ten lessons in these texts.

Tense usage is restricted (with the exception of a few isolated verb-forms) to the present, and the present perfect (past indefinite) of regular *-er* verbs conjugated with *avoir.*

This story provides supplementary reading material the purpose of which is to afford practice in the comprehension of the reading and grammatical vocabulary already met, to develop the facility necessary for speed in reading, and to give the student the feeling of pleasure that comes from a consciousness of achievement. It may be used either as a class or "outside" reading text, depending upon the needs of each class, and either with or apart from the other texts of the series.

The careful control of the reading and grammatical vocabulary used in this adaptation has reduced to a minimum the need of explanatory notes. These appear conveniently as footnotes.

A set of comprehension exercises, one for each chapter, consisting of the question, completion, true-false, and multiple-choice types, direct the attention of the student to the content of the story and serve as a check upon his understanding of it.

The idiomatic expressions used in the text have been col-

[1] By Helen M. Eddy. University of Chicago Press, 1929.

[2] By Grace Cochran and Helen M. Eddy. University of Chicago Press, 1929.

[3] For details see page 127.

lected and arranged by chapters for the convenience of teachers who wish to give students more intensive study of these peculiarly French modes of expression.

The story has been considerably reduced from the original edition. Brief résumés in English of omitted portions of the narrative serve to keep intact the thread of the story.

The hero's travels throughout France may be followed on the end-maps, which indicate graphically the itineraries of his trips and call attention to significant features of the various sections of the country.

The authors are deeply indebted to Professor Michael West,[1] principal of the Teachers' College of Dacca, India, for the idea of constructing supplementary readers of this type, and to Mme Claire Lévêque Quandt, of Rockford College, Illinois, for her careful scrutiny of the manuscript and valuable constructive suggestions, and for reading the galley proof.

THE AUTHORS

STATE UNIVERSITY OF IOWA
November, 1930

---

[1] Author of *Bilingualism, The Construction of Reading Material for Teaching a Foreign Language, Language in Education,* etc.

CONTENTS

I

AU VILLAGE

Remi est un enfant trouvé.[1]

Mais il croit que la bonne femme avec qui il demeure est sa mère.

Quand il se couche dans son lit, la femme vient l'embrasser; quand il a les larmes aux yeux, elle le prend dans ses bras et bientôt il cesse de pleurer; quand elle lui parle, sa voix est toujours douce et son regard est toujours tendre.

La maison où il demeure est près d'une petite rivière (*river*) qui court vite vers la Loire.[2] Il ne voit jamais d'hommes dans cette maison; Jérôme Barberin travaille à Paris, et il ne revient jamais à Chavanon. Deux ou trois fois par an,[3] un de ses amis de Paris qui rentre au village vient chez mère Barberin et lui dit:

—Mère Barberin, votre homme[4] m'a demandé[5] de vous dire que les choses marchent bien et de vous donner de l'argent. Le voilà. Voulez-vous le compter?

C'est tout. Mère Barberin est contente de ce qu'elle entend: son homme n'est pas malade; il reçoit un peu d'argent.

Un jour de novembre, vers le soir, un homme, que Remi ne connaît pas, vient à la petite maison. Remi est devant la porte où il coupe du bois. L'homme regarde le petit garçon;

---

[1] **enfant trouvé,** foundling.

[2] For location of rivers, cities, towns, etc., see end-maps.

[3] **par an,** per year, a year. [4] What must **homme** mean here?

[5] **demandé:** *p.p.* asked. The suffix **-é** (**-és, -ée, -ées**) identifies the *past participle* of regular -er verbs, which is equivalent to the *past participle* of the corresponding English verb—the verb form used in a compound tense after the auxiliary *have, has* (regular ending *-ed*).

1

puis il lui demande si ce n'est pas là que demeure la mère Barberin.

Remi lui dit d'entrer.

Mère Barberin les entend parler; elle court vers la porte, et elle voit devant elle l'homme qui entre.[1]

—Je viens de Paris, lui dit-il; j'ai quelque chose à vous dire.

Voilà des mots très simples et qui déjà plus d'une fois[2] ont frappé[3] les oreilles de mère Barberin, mais cette fois l'homme les prononce d'un ton (*tone*) qui inquiète la bonne femme.

—Ah! mon Dieu! crie-t-elle. Qu'est-ce que vous venez me dire? Est-ce que Jérôme est malade?

—Eh bien, oui, mais ne vous inquiétez pas; votre homme est blessé (*wounded*), il est vrai, mais il n'est pas mort. Pour le moment, il est à l'hôpital. Comme (*as*) je rentre au pays, il m'a demandé de vous raconter la chose.

L'homme reste toute la soirée[4] chez mère Barberin pour[5] se reposer et pour manger; il lui raconte l'histoire de l'accident.

Mère Barberin veut aller à Paris; mais un voyage si long est pour elle une terrible affaire.

Le lendemain matin mère Barberin et Remi vont au village pour consulter le prêtre (*priest*). Ce bon prêtre ne veut pas la laisser aller à Paris.

Il écrit (*writes*) une lettre à Jérôme, et quelques jours après la réponse arrive. Barberin dit à sa femme de ne pas venir à Paris, mais de lui envoyer (*send*) de l'argent.

[1] qui entre, entering. A short relative clause in French is often equivalent to an English present participle.

[2] plus d'une fois, more than once; de replaces que after a comparative before numerals.

[3] frappé: *p.p.* struck, struck upon.

[4] soirée, evening; the suffix -ée gives the idea of "throughout the evening."

[5] pour followed by an infinitive means "to," "in order to."

Les journées, les semaines passent. Jérôme demande toujours de l'argent dans ses lettres. Enfin la pauvre mère Barberin n'a plus d'argent, et il faut (*it is necessary*) vendre la vache (*cow*).

Les personnes qui ont demeuré parmi les pauvres savent ce qu'il y a de[1] terrible dans ces trois mots: «vendre la vache» (*cow*). La famille (*family*) la plus pauvre n'a jamais faim quand il y a une vache dans l'étable (*stable*).

Mais la Roussette est aussi une camarade, une amie, parce que la vache n'est pas un animal stupide, mais très intelligent. Quand Remi parle à Roussette, elle écoute toujours ce qu'il lui dit. Le petit garçon et sa mère l'aiment beaucoup mais ils sont obligés de la vendre pour venir en aide à Jérôme.

La pauvre Roussette, qui a beaucoup d'intelligence, ne veut pas sortir de l'étable (*stable*) avec l'homme qui l'a achetée.[2] La mère Barberin lui parle d'une voix douce.

—Allons, ma belle, viens, viens.

Et Roussette ne résiste plus.

Quelques jours après, le mardi gras[3] arrive. Pour le mardi gras mère Barberin voudrait bien[4] faire des crêpes (*pancakes*) pour Remi. Mais ils n'ont plus de Roussette, ils n'ont plus de lait (*milk*); rien pour le mardi gras: voilà ce qui rend triste le petit Remi.

Mais mère Barberin a préparé une surprise pour le petit garçon; elle a demandé du lait (*milk*) et du beurre (*butter*) à une de ses amies; et quand Remi rentre, il voit qu'elle prépare quelque chose; il se rappelle bien[4] que c'est aujourd'hui le

[1] Disregard **de**.

[2] **achetée:** *p.p.* bought.

[3] **mardi gras,** Shrove Tuesday, the last day before Lent, a day of carnival and merry making. It has become a tradition to make pancakes on this day.

[4] **bien:** note the slight variations in the meaning of this adverb: *well, very well, very much, very, indeed, certainly,* etc. Often there is no English equivalent.

mardi gras, mais il ne le lui dit pas parce qu'il ne veut pas la rendre triste.

—Qu'est-ce que je fais, mon petit? demande mère Barberin à Remi.

—Je ne sais pas, répond-il.

—Si (*yes*), tu sais. Mais comme (*as*) tu es un bon petit garçon, tu as peur de me le dire. Tu sais que c'est aujourd'hui mardi gras et que nous n'avons pas de lait pour faire des crêpes (*pancakes*). C'est vrai, cela?

—Oh! mère Barberin.

Mère Barberin ne répond pas, mais elle continue à travailler. Au bout d'un moment, elle dit à Remi:

—Voilà que[1] tout est prêt. Maintenant, il faut (*it is necessary*) faire un bon feu. Va me chercher du bois.

Remi rentre avec le bois; puis il s'assied près du feu; il observe ce que sa mère fait, et attend avec impatience.

Pendant que Remi regarde le bois qui brûle, un homme s'approche de la petite maison et frappe à la porte avec un grand bâton (*stick*).

—Qui vient nous voir à cette heure? se dit Remi.

Tout de suite la porte s'ouvre.

—Qui est là? demande mère Barberin.

Un homme entre, en blouse blanche; il a un grand bâton (*stick*) à la main. Il voit le feu. Une bonne odeur remplit la petite chambre.

—Qu'est-ce que vous faites ici? demande-t-il d'une voix dure.

—Ah! mon Dieu! crie mère Barberin. C'est toi, Jérôme?

Puis elle prend Remi par le bras et le pousse vers l'homme, qui reste toujours près de la porte.

—C'est ton père.

---

[1] **Voilà que,** there now.

II

JEROME BARBERIN

Remi s'approche de son père pour l'embrasser; mais du bout de son bâton l'homme le repousse.[1]

—Ce garçon, que fait-il ici? Tu m'as dit ...

—Eh bien, oui, mais ... ce n'est pas vrai, parce que ...

—Ah! pas vrai, pas vrai.

Il s'approche du petit garçon et lève son bâton. Remi a grand'peur[2] et court auprès de sa mère.

—Je vois que vous faites des crêpes pour mardi gras, dit-il; c'est très bien, parce que j'ai grand'faim. Mais ce n'est pas des crêpes que tu vas donner à manger à un homme qui a marché depuis (*since*) le matin.

—Je n'ai rien de plus.

—Rien! Rien à manger!

Il regarde autour de la chambre.

—Voilà du beurre (*butter*), dit-il. Fais-moi bien vite une bonne soupe.

Mère Barberin ne lui répond rien. Elle fait ce que son homme demande. Jérôme s'assied sur la chaise qui est dans un coin de la chambre.

C'est un homme de cinquante (*50*) ans, au visage dur, au regard cruel. Remi ne l'aime pas. Il ne pense plus au mardi gras; il est très triste, très inquiet. Et la question qui le tourmente, la voici: est-ce que cet homme au visage dur est son père?

[1] repousse: the prefix re- has here the force of "away."

[2] grand'peur: the apostrophe indicates what was thought to be an omitted e; grand was originally both masculine and feminine.

—Au lieu de rester là, imbécile, lui dit l'homme, lève-toi et mets (*set*) la table.

Remi se lève et va aider sa mère. La soupe est prête. Mère Barberin la pose sur la table.

Barberin s'assied à table et commence à manger. Deux ou trois fois pendant qu'il mange, il lève les yeux pour regarder Remi. Le petit garçon est si troublé, si inquiet, qu'il ne mange rien.

—Est-ce qu'il ne mange jamais plus que cela? dit Jérome.

—Mais si (*yes*), il mange bien.

—Alors tu n'as pas faim? demande-t-il à Remi.

—Non.

—Eh bien, va te coucher[1] tout de suite.

Mère Barberin jette vers le petit garçon un regard qui lui dit de faire ce que désire Barberin,[2] sans (*without*) lui répondre.

Remi ôte vite ses habits et se couche. Mais dormir (*sleep*), c'est une autre affaire.

Remi n'est pas fatigué et il n'est pas tranquille. Il est bien inquiet et aussi très malheureux.

Au bout d'un moment, il entend l'homme s'approcher de son lit.

—Que fais-tu? demande une voix dure.

Remi ne répond pas parce qu'il a peur.

—Il ne t'entend pas, dit mère Barberin; quand il se couche, il dort (*sleeps*) tout de suite et n'entend plus rien. Viens ici et parle; n'aie pas peur qu'il t'écoute. Tes affaires, comment marchent-elles?

[1] va te **coucher**, go to bed; **se coucher** may mean "to lie down" or "to go to bed."

[2] Barberin is the subject of **désire**; such inversion is quite frequent in a relative clause.

—Mon Dieu, je n'ai plus d'argent, plus rien[1]; et je suis si malade qu'il m'est impossible de travailler. Nous sommes bien malheureux. Et ce n'est pas tout; quand je rentre ici, je trouve un enfant. Dis-moi, s'il te plaît, pourquoi tu ne l'as pas porté aux Enfants trouvés.[2]

—Une personne n'abandonne pas comme cela un enfant qu'elle aime.

—Ce n'est pas ton enfant.

—Je n'ai pas d'autre enfant.

—Quel âge a-t-il maintenant? demande Barberin.

—Il a huit ans.

—Eh bien! il va y aller à huit ans, et cela ne va pas lui être plus agréable.

—Ah! Jérôme, ne fais pas cela.

—Pas cela? Pourquoi pas? Penses-tu qu'il va rester toujours ici? Nous n'avons plus d'argent, plus[3] de vache (*cow*), plus[3] rien à manger.

—C'est mon enfant.

—Ce n'est pas un enfant du pays. Je l'ai regardé avec attention ce soir; et je te dis qu'il est trop délicat.

—C'est un bon enfant, et il a de l'intelligence. Dans quelques années[4] il travaillera[5] pour nous.

—Mais à présent il faut (*it is necessary*) travailler pour le petit; et moi, je suis trop malade depuis (*since*) l'accident pour travailler.

—Qu'est-ce que tu vas dire à ses parents, alors? Parce que je suis sûre qu'ils vont venir ici le chercher.[6]

[1] plus rien = je n'ai plus rien.
[2] Enfants trouvés, foundling hospital.   [3] plus = nous n'avons plus.
[4] année, year; cf. journée and soirée; see n. 4, p. 2.
[5] il travaillera: *fut.* he will work.
[6] venir chercher, to come for; cf. aller chercher.

—Ses parents! Est-ce qu'il a des parents? Est-ce que ses parents le cherchent depuis[1] huit ans? Je ne suis qu'un imbécile. Pourquoi croire, parce que je l'ai trouvé[2] enveloppé dans de beaux habits, qu'il a des parents riches qui vont le chercher et qui vont nous donner de l'argent? Ils sont peut-être morts; qui sait?

—Mais s'ils ne sont pas morts? S'ils viennent ici nous le demander?

—Eh bien! Je vais leur dire: «Cherchez-le aux Enfants trouvés.» Mais ne parlons plus de cette affaire. Tout cela me fatigue. Ce soir, je vais aller dire bonjour à François. Dans une heure je vais rentrer.

La porte s'ouvre et Barberin sort.

Alors Remi, qui a grand'peur, appelle mère Barberin. Elle court près de son lit.

—Est-ce que tu vas me laisser aller aux Enfants trouvés?

—Non, mon petit Remi, non.

—Elle l'embrasse, les larmes aux yeux, et le prend dans ses bras. Cette caresse lui rend courage, et ses larmes cessent de tomber.

—Pauvre petit, as-tu peur? lui demande-t-elle. Tu as écouté ce qu'a dit Jérôme?[3]

—Oui, tu n'es pas ma maman, mais cet homme n'est pas mon père non plus.

Remi est bien triste de savoir[4] que mère Barberin n'est pas sa mère; mais il est aussi très heureux de savoir que Jérôme Barberin n'est pas son père.

—Je me dis depuis[1] quelques mois, continue mère Barberin, que je devrais (*ought*) te faire connaître ton histoire; mais comment te dire, mon petit, que je ne suis pas ta vraie mère?

---

[1] See vocabulary.

[2] trouvé: *p.p.* found.

[3] Note inverted word-order.

[4] savoir: *inf.* to know; cf. je sais, ils savent.

Ta mère, pauvre Remi, nous ne la connaissons pas. Où demeure-t-elle? Elle est peut-être morte. Nous ne savons rien d'elle. Je vais te raconter maintenant toute l'histoire. Ecoute bien, mon petit Remi; la voici. Un matin au mois de décembre, à Paris, Jérôme va travailler, et comme (as) il passe dans l'avenue de Breteuil, il entend les cris d'un enfant. Il écoute un moment, puis il s'approche de la porte (gate) d'un jardin. Là, devant la porte, il voit un petit enfant. Il regarde partout autour de lui, et il voit un homme sortir de derrière un grand arbre et courir[1] vite vers la Seine. C'est peut-être cet homme-là qui a placé l'enfant devant la porte. Voilà Jérôme bien embarrassé, parce que l'enfant crie et pleure; ses camarades viennent voir l'enfant; et enfin ils décident de le porter chez[2] le commissaire (commissioner) de police. L'enfant crie toujours;[3] il a froid, et il a faim. C'est un beau garçon de cinq ou six mois; et il porte des habits qui dénotent des parents riches. Le commissaire prend des notes sur tout ce que Jérôme sait et aussi sur l'aspect de l'enfant et de ses habits; puis il décide de le faire porter aux Enfants trouvés. C'est alors que Jérôme dit qu'il voudrait bien porter l'enfant chez sa femme. Il pense aux parents riches de l'enfant et à l'argent qu'ils vont peut-être donner à la personne qui a trouvé leur petit garçon. Non, mon petit, je ne suis pas ta vraie mère, tu le vois, mais je t'aime comme mon vrai fils. Jérôme ne t'a jamais aimé; il pense maintenant que tes parents ne vont jamais venir te chercher, et il veut t'envoyer (send) aux Enfants trouvés. Je n'ai pas l'intention de te laisser partir (leave).

[1] courir: *inf.* to run; cf. **il court, ils courent.**

[2] **chez** means here "to the office of"; you will find other extensions in the meaning of this preposition.

[3] **toujours** means here (as often) "continually," "keeps on (crying)."

—Oh! pas là, crie Remi; et il prend vite la main de sa mère; pas aux Enfants trouvés, mère Barberin, je t'en[1] prie!

—Non, mon enfant, tu ne vas pas y aller. Je vais arranger cela, parce que Jérôme n'est pas un méchant homme; mais à une condition: c'est que tu vas tout de suite dormir (*sleep*). Sois tranquille, mon petit Remi; n'aie plus peur; je ne veux pas que Jérôme rentre et te trouve si inquiet.

Puis elle embrasse Remi, et alors elle tourne le nez du petit vers le mur.

Remi voudrait bien être tranquille et penser à autre chose; mais il est trop troublé pour trouver le calme. Mère Barberin, si bonne, si douce, n'est pas sa vraie mère! Alors une vraie mère, qu'est-ce que c'est? Meilleure, plus douce encore? Oh! non, ce n'est pas possible. Mais ce que Remi sait bien, c'est qu'un vrai père est moins cruel que Barberin, et qu'il ne jette pas des regards froids vers son petit garçon.

«Aux Enfants trouvés!» Remi a grand'peur, quand il y pense.

Enfin le petit garçon est si fatigué qu'il ne pense plus à rien.

[1] Disregard **en**.

III

LA TROUPE DU SIGNOR VITALIS

Le lendemain matin, Remi ouvre les yeux et regarde autour de lui, pour être certain que Barberin ne l'a pas emporté.

Ce matin-là Barberin ne lui dit rien, et Remi commence à croire qu'il ne pense plus aux Enfants trouvés. Mère Barberin a peut-être parlé à Jérôme et elle lui a persuadé de garder (*keep*) l'enfant.

Mais à onze heures, Barberin se tourne vers le petit garçon et lui dit:

—Viens avec moi.

Remi a peur, il tourne les yeux vers mère Barberin, il veut implorer son aide; elle lui jette un regard qui signifie de faire ce que veut Barberin, et de ne pas avoir peur.

Le petit garçon ne répond rien; il sort de la maison et marche derrière Barberin.

La distance est longue de la maison au village. Barberin marche devant, mais pas trop vite pour l'enfant. Remi ne sait pas où ils vont; c'est une question qui l'inquiète beaucoup. Enfin ils entrent dans le village.

Comme ils passent devant le café, un homme qui est près de la porte appelle Barberin et l'invite à entrer.

Barberin prend Remi par l'oreille et le fait entrer devant lui. Pendant que Barberin se place à une table avec le maître du café, qui l'a invité à entrer, l'enfant s'assied dans un coin près du feu, et regarde autour de la chambre.

Dans un autre coin est assis un grand vieux qui porte un costume bizarre.[1] Sur sa tête est posé un haut chapeau gris

---

[1] **bizarre,** odd, strange, peculiar; the word is used in English.

11

couvert de plumes vertes et rouges. Il porte aussi une peau de mouton (*sheepskin coat*). Remi est très étonné de voir une personne dans une attitude si calme; l'homme ressemble à l'un des saints en bois dans l'église du village.

Sous la chaise de ce vieux il y a trois chiens. Un caniche (*poodle*) blanc, un chien noir, et une petite chienne[1] grise à la face intelligente et douce; le caniche porte un vieux bonnet.[2]

Pendant que Remi regarde le vieux avec une curiosité étonnée, Barberin parle au maître du café à voix basse; il est question du petit garçon.

Barberin dit qu'il est aujourd'hui au village pour parler au maire (*mayor*); qu'il va lui raconter toute l'histoire de son accident et lui demander un peu d'argent pour l'enfant. Voici ce que mère Barberin a persuadé à Jérôme de faire.

—Alors, pense Remi, plus heureux, Barberin va peut-être me laisser rester chez mère Barberin!

Le vieux écoute aussi ce que les deux hommes disent; après un moment, il jette un regard vers Remi et dit à Barberin:

—C'est cet enfant-là que vous ne voulez plus garder (*keep*) chez vous?

—Oui.

—Et vous croyez que l'administration de votre département[3] va vous payer pour lui donner du pain?

—Mon Dieu, s'il n'a pas de parents et s'il est à ma charge, il faut (*is necessary*) bien que l'administration paye son pain; c'est juste, n'est-ce pas?

—Eh bien, je crois que l'administration ne va jamais vous donner l'argent que vous demandez.

—Alors, dit Barberin d'une voix dure, il va aller aux En-

---

[1] la chienne: feminine of le chien.   [2] le bonnet, cap.

[3] département: since 1790 France has been divided into administrative districts called départements; the number at present is ninety.

fants trouvés; il n'y a rien qui m'oblige à le garder dans ma maison si je ne le veux pas.

—Attendez, dit le vieux, après un moment de réflexion, voulez-vous que je vous aide?

—Vous voulez m'aider?

—Mais oui.

Le vieux quitte sa chaise et s'assied auprès de Barberin.

—Ce que vous voulez, n'est-ce pas, dit-il, c'est que cet enfant ne mange plus votre pain, ou que l'administration vous paye ce pain? Eh bien, donnez-le-moi.

—Vous le donner!

—Mon Dieu, oui, si vous ne voulez plus qu'il reste chez vous!

—Vous donner un enfant comme ce garçon-là, un si bel enfant, parce qu'il est bel enfant, regardez-le.

—Je l'ai regardé.

—Remi! Viens ici.

Remi tremble, mais il s'approche des deux hommes.

—Allons, n'aie pas peur, petit, dit le vieux.

—Regardez, continue Barberin.

—Je ne dis pas que l'enfant n'est pas beau; mais il est comme tous les autres enfants; il n'est bon à rien.

—Il est capable de travailler. Il est aussi solide qu'un homme.

—C'est un enfant des villes, dit le vieux; ces enfants-là ne résistent pas bien à la fatigue.

—Mais regardez ses bras!

—Le vieux va-t-il m'acheter et me mener loin d'ici? se dit le pauvre Remi. Ah! mère Barberin, mère Barberin!

Mais elle n'est pas là pour le défendre.

—Eh bien, dit le vieux, je le prends. Mais je ne vous

l'achète pas, je vous paye ses services. Voici vingt francs[1]
pour la première année.

—Vingt francs!

—Vous emportez vingt beaux francs, et vous n'avez plus
cet enfant que vous n'aimez pas.

Et il laisse tomber sur la table quatre belles pièces d'argent.

—Mais pensez, crie Barberin, que les parents de cet enfant sont très riches et qu'ils le cherchent toujours. S'ils le
trouvent,—et je suis sûr (*sure*) qu'ils vont le trouver—ils vont
donner beaucoup d'argent pour leur petit garçon. J'ai toujours compté sur cela.

—Et c'est parce que vous ne comptez plus sur ses parents,
dit le vieux, que vous ne voulez plus le garder. C'est à vous
que ses parents vont venir parler, n'est-ce pas, et non à moi
qu'ils ne connaissent pas? Si je les retrouve, je vous assure
une bonne partie du profit. Et aujourd'hui je vous donne
trente (*30*) francs.

—Quarante (*40*).

—Non, pour les services qu'il va me rendre, ce n'est pas
possible.

—Qu'est-ce qu'il va faire pour vous?

—Il va entrer dans la troupe du signor[2] Vitalis.

—Et où est-elle, cette troupe?

—Le signor Vitalis, c'est moi; la troupe, je vais vous la
montrer.

Alors il prend dans la main un petit animal caché sous son
bras. Remi ne trouve pas de nom à donner à cette créature
étrange (*strange*) qu'il voit pour la première fois, et qu'il regarde avec une grande surprise.

[1] franc: a French silver coin, the monetary unit of France, worth about
20 cents at the time of this story.

[2] signor: Italian word=monsieur.

Ce petit animal porte une blouse rouge; il a les yeux intelligents.

—Ah! le méchant singe (*monkey*)! crie Barberin.

A ce mot Remi sait ce que c'est, parce que son maître
d'école lui a parlé des singes.

—Voici le premier membre de ma troupe, dit Vitalis; c'est
M. Joli-Cœur. Joli-Cœur, mon ami, un salut (*bow*).

Joli-Cœur porte sa main à sa bouche et jette un baiser
(*kiss*) à tout le monde.

—Maintenant, voici un autre membre, continue Vitalis, et
il jette un regard vers le caniche (*poodle*) blanc: le signor Capi
va avoir l'honneur de vous présenter ses amis. Capi!

A ce mot le chien se lève vite, puis il fait à son maître un
salut si bas que Remi pense qu'il va tomber sur le nez.

Alors il se tourne vers ses camarades et, de la tête, il leur
fait signe d'approcher. Les deux chiens, qui ont les yeux attachés sur leur camarade, se lèvent tout de suite, et lentement, avec beaucoup de cérémonie, ils viennent vers Capi,
puis ils se tournent et font un salut à tout le monde.

—Le chien que j'appelle Capi, continue Vitalis, est le capi-
taine de la troupe; c'est lui qui donne mes ordres, parce qu'il
est le plus intelligent des trois. Ce jeune élégant noir est le
signor Zerbino. Et cette jeune personne modeste s'appelle
Dolci. C'est avec cette troupe remarquable que je traverse
la France et les autres pays de l'Europe. Je ne fais pas fortune, mais je gagne (*earn*) toujours assez (*enough*) d'argent
pour acheter du pain. Capi!

Le chien regarde son maître avec attention.

—Capi, mon ami, je vous prie d'inviter la signora[1] Dolce à
danser (*dance*) un peu pour nous.

Capi cherche tout de suite dans la poche de son maître et il

[1] **signora:** feminine of **signor.**

y trouve une corde (*rope*). Il fait un signe à Zerbino, qui court vite l'aider. Alors Capi lui jette un bout de la corde, et les deux chiens commencent lentement à la faire tourner.

Quand le mouvement est régulier, Dolce saute dans le cercle et danse avec assurance; de ses beaux yeux tendres elle regarde toujours les yeux de son maître.

—Vous voyez, dit le vieux, que mes élèves sont intelligents. Et voilà pourquoi je veux engager ce garçon dans ma troupe; il va jouer le rôle d'une personne stupide, et alors l'intelligence de mes élèves va être plus admirée.

—Mais, pour jouer le rôle d'une personne stupide, crie Barberin.

—Il faut être intelligent, continue Vitalis, et ce garçon a de l'intelligence, je crois. Avec le signor Vitalis il va faire des voyages en France et dans dix autres pays, au lieu de rester ici, où il fait tous les jours la même chose du matin au soir. Mais l'enfant est peut-être stupide; peut-être va-t-il[1] pleurer et crier; et alors le signor Vitalis, qui n'aime pas les enfants méchants, ne va pas le faire sortir de ce village. Alors l'enfant méchant va aller aux Enfants trouvés, où il faut travailler dur et manger peu.

Remi demeure inquiet, des larmes dans les yeux. Il ne sait[2] que faire.

—Maintenant, continue Vitalis à Barberin, finissons l'affaire. Je vous donne trente (*30*) francs.

—Non, quarante (*40*).

Une discussion commence; mais bientôt Vitalis dit à Barberin:

—Cet enfant n'a rien à faire ici; ne voudrait-il pas aller jouer dans le jardin du café?

[1] Note inverted word-order after **peut-être**.

[2] **pas** is sometimes omitted after **savoir** and a few other verbs.

Et il fait un signe à Barberin.

—Oui, c'est cela,[1] dit Jérôme; va dans le jardin, Remi, mais reste là; je vais bientôt t'appeler.

Remi sort du café et va dans le jardin où il s'assied. Il est si triste qu'il ne veut pas jouer.

Qu'est-ce qu'ils vont décider, ces deux hommes? Que vont-ils faire du pauvre Remi? Voilà les questions qui inquiètent le pauvre petit.

Vitalis et Barberin parlent plus d'une heure. Enfin Jérôme sort du café et appelle Remi.

—Allons! lui dit-il, en route pour la maison.

La maison! Alors Remi ne va pas quitter mère Barberin? Il voudrait demander ce que Barberin a décidé de faire, mais il a peur de lui adresser un mot.

Dix minutes avant d'arriver, Barberin, qui marche devant, jette à Remi un regard dur.

—Ecoute, lui dit-il, et il le prend par l'oreille: ne répète pas un mot de ce que nous avons dit aujourd'hui, tu entends?

[1] c'est cela, that's it, that's right.

IV

EN ROUTE

—Eh bien! demande mère Barberin quand Remi et Jérôme rentrent, qu'a dit le maire (*mayor*)?

—Nous ne lui avons pas parlé.

—Vous ne lui avez pas parlé?

—Non, j'ai parlé avec des amis au café; nous allons retourner au village un autre jour pour voir le maire.

Remi pense alors que Barberin n'a pas accepté les propositions de Vitalis, mais il voudrait être sûr de cela; il voudrait bien poser des questions à mère Barberin; mais c'est impossible, Jérôme reste toujours auprès d'elle.

Le lendemain, quand Remi se lève, il ne voit pas mère Barberin. Pendant qu'il la cherche partout dans la maison, Barberin le regarde. Enfin il demande à Remi ce qu'il veut.

—Maman.

—Elle est au village, elle ne va pas revenir avant deux heures.

Remi ne sait pas pourquoi, mais cette absence l'inquiète. Il a peur de quelque danger.

Barberin regarde toujours le petit garçon d'un œil cruel. Remi, qui a peur des regards de Jérôme, va enfin dans le jardin.

Ce jardin n'est pas grand, il n'est pas beau; mais il donne à Remi et à mère Barberin presque (*almost*) tout ce qu'ils mangent. Et voici un petit coin que la bonne femme a donné[1] au petit garçon; ce n'est pas un beau coin avec des fleurs rares, mais c'est son petit jardin, sa chose; il regarde avec

[1] donné: *p.p.* given.

18

joie les fleurs qu'il a plantées; enfin, il l'aime bien, ce petit coin.

Remi s'amuse dans le jardin, quand il entend crier son nom d'une voix impatiente. C'est Barberin qui l'appelle.

Le petit garçon rentre dans la maison. Quelle est sa surprise de voir devant le feu Vitalis et ses chiens!

Tout de suite il voit trop bien ce que Barberin veut de lui: Vitalis vient le chercher, et Barberin, qui sait que mère Barberin est toujours prête à défendre son petit garçon, lui a dit d'aller au village.

Remi ne dit rien à Jérôme; il court auprès de Vitalis.

—Oh, monsieur, crie-t-il, je vous prie, laissez-moi rester ici!

Et ses yeux se remplissent de larmes.

—Allons, mon garçon, lui dit le vieux d'une voix douce, tu ne vas pas être malheureux avec moi; je ne suis pas un méchant homme; j'aime les enfants. Et puis tu vas avoir la compagnie de mes élèves qui t'aiment déjà. Qu'as-tu à regretter?

—Mère Barberin!

—Mais tu ne vas pas rester ici, dit Barberin, et il le prend par l'oreille; monsieur, ou les Enfants trouvés, choisis!

—Non, mère Barberin!

—Cet enfant regrette sa mère Barberin, dit Vitalis; c'est un bon signe. Maintenant, voici votre argent.

Et Vitalis laisse tomber sur la table huit pièces de cinq francs. Barberin les prend vite.

—Où sont les habits du garçon? demande Vitalis.

—Les voilà, répond Barberin, et il montre un très petit sac (bag) bleu.

—Allons, mon petit. Comment s'appelle-t-il? dit Vitalis.

—Remi.

—Allons, Remi, prends ton sac, et passe devant. Capi, en route, marche!

Remi jette un regard triste vers le vieux, puis vers Barberin, mais ils ne disent rien. ... Vitalis le prend par la main et ils sortent de la maison.

Remi regarde tout autour de lui et de toutes ses forces il appelle:

—Maman, mère Barberin!

Personne ne répond à sa voix, et ses larmes montrent combien il est malheureux. Il faut marcher aussi vite que Vitalis, qui le mène toujours par la main.

—Bon voyage! crie Barberin; et il rentre dans la maison.

—Allons, Remi, marchons, mon enfant, dit Vitalis. Et il prend le bras du petit garçon.

Alors Remi se laisse mener par le vieux. Le chemin monte; quand Remi regarde derrière lui, il voit la maison de mère Barberin, toujours plus petite, plus petite.

Ils marchent vite, et bientôt ils arrivent à un détour du chemin.

—Voulez-vous me laisser reposer un peu? dit Remi à Vitalis.

—Mais oui, mon garçon.

Pour la première fois, il laisse tomber la main de l'enfant. Mais il jette un regard vers Capi et lui fait un signe. Le chien vient se placer derrière le garçon: c'est son gardien; il regarde toujours Remi pour voir s'il fait un effort pour courir vers la maison.

Remi s'assied sur un petit mur, et Capi se couche près du garçon.

Remi voit au loin la maison, très petite maintenant, où, tout heureux, il a passé huit ans.

Encore une petite distance, et c'est fini;[1] l'enfant ne va plus jamais revoir tout cela.

Dans le chemin qui monte du village à la maison, Remi voit au loin une robe (*dress*) bleue. Il reconnaît mère Barberin; c'est sa robe bleue, c'est elle.

Remi se lève, monte sur le mur, agite son chapeau, et de toutes ses forces il crie:

—Maman, maman!

Mais elle est trop loin pour entendre sa voix.

Alors Vitalis, qui veut voir ce que le petit garçon regarde, monte aussi sur le mur.

Il a de bons yeux; il voit bientôt la robe bleue.

—Pauvre petit, dit-il d'une voix douce.

—Oh! je vous en prie, crie Remi, encouragé par ces mots de compassion, laissez-moi retourner.

Mais Vitalis le prend par la main et le fait descendre du mur.

—Capi! dit-il, Zerbino!

Les deux chiens s'approchent, et marchent auprès du petit garçon: Capi derrière, Zerbino devant.

Au bout de quelques minutes, Remi tourne la tête.

Le chemin descend maintenant, et Remi ne voit plus sa maison. Devant lui, un pays inconnu; derrière, la maison que peut-être il ne va jamais revoir.

Ils marchent dix minutes en silence; puis Vitalis abandonne son bras.

—Maintenant, dit-il, marche lentement auprès de moi; et ne cherche pas à retourner à Chavanon, parce que Capi et Zerbino courent bien vite, plus vite que toi.

Mais Remi ne pense pas à quitter Vitalis. Où aller maintenant? Chez qui?

[1] fini, finished, over.

Son maître marche lentement; il porte Joli-Cœur sur son épaule ou sur son sac; et autour du vieux les chiens trottent avec contentement.

Vitalis parle beaucoup à ses élèves; il leur adresse des mots d'encouragement.

Les chiens et Vitalis ne pensent jamais à la fatigue. Mais pour Remi ce n'est pas la même chose. Le petit garçon est très fatigué mais il cherche à marcher aussi vite que son maître. Il a peur de demander à son maître de le laisser reposer.

—Ce sont[1] tes sabots (*wooden shoes*) qui te fatiguent, lui dit Vitalis; à Ussel je vais t'acheter des souliers (*shoes*).

Ce mot rend le courage au petit Remi. Il a toujours désiré avoir des souliers.

—Ussel, c'est encore loin?

—Voilà un cri bien naturel, dit Vitalis, et il rit; tu désires donc[2] bien avoir des souliers (*shoes*), garçon? Eh bien! Tu vas avoir tes souliers. Et tu vas avoir aussi un chapeau et de meilleurs habits. Ne pleure plus maintenant, mon enfant, prends courage; la distance qui nous reste n'est pas longue.

Des souliers! Remi est enchanté! C'est déjà une chose prodigieuse pour le garçon que[2] ces souliers, mais quand il pense aux habits et au chapeau, sa joie est si grande qu'il ne dit rien; et pour le moment il n'est plus malheureux.

Au bout du chemin des souliers et un chapeau! Remi les voit déjà. Mais c'est si loin, trop loin. Et le pauvre enfant est déjà si fatigué!

Le jour est triste et sombre à présent, et bientôt le soir vient. Autour du petit garçon tout est gris, les champs, les arbres, le chemin. Remi commence à avoir froid. Vitalis a

[1] ce sont, it is.   [2] Disregard.

chaud[1] et il cache Joli-Cœur sous sa peau de mouton (*sheepskin*); mais les chiens et Remi tremblent de froid.

—Nous n'allons pas aller plus loin aujourd'hui, dit Vitalis. Voilà un village devant nous; cherchons-y une chambre et reposons-nous.

Ils arrivent au village; mais personne ne veut avoir dans sa maison un pauvre vieux comme Vitalis qui mène avec lui un enfant et trois chiens.

Enfin un homme, plus charitable que les autres, consent à ouvrir[2] à la troupe la porte de sa grange (*barn*). Mais avant de les laisser entrer, il leur impose la condition de ne pas avoir de lumière; le danger du feu est trop grand.

Vitalis est un homme de précaution, qui porte toujours avec lui des provisions. Dans le sac (*bag*) qu'il porte sur ses épaules, il y a un grand morceau de pain; il prend ce pain et le coupe en six morceaux. Il donne à Remi son pain, et, pendant qu'il mange son morceau, il donne de petits morceaux de pain à Joli-Cœur, Capi, Zerbino, et Dolce.

Après ce modeste dîner, tout le monde se couche. Remi tremble de froid et de fatigue. Il pense à mère Barberin et à son petit coin près du feu. Il voudrait bien maintenant avoir de la bonne soupe chaude et se coucher dans son petit lit doux.

Vitalis se tourne vers l'enfant et cherche à le calmer.

—Tu as froid? demande-t-il.

—Un peu.

Remi l'entend ouvrir son sac.

—Je n'ai pas beaucoup d'habits, dit-il, mais voici une grande blouse. Enveloppe-toi dans cette blouse chaude.

---

[1] avoir chaud, to be warm; cf. avoir froid.

[2] ouvrir: *inf.* to open; cf. il ouvre.

Couche-toi maintenant, mon enfant; tu ne vas plus avoir froid.

Mais le petit garçon est trop triste, trop malheureux pour dormir (*sleep*), et il ne cesse pas de pleurer.

Pendant que Remi pense à sa mère Barberin, le visage couvert de larmes, il voit une forme noire qu'il ne reconnaît pas dans la lumière sombre. Puis quelque chose le touche au visage: c'est Capi.

Le chien s'approche lentement plus près de l'enfant; il reste là, et regarde le petit garçon de ses yeux doux.

—Que veut-il? se demande Remi.

Capi se couche bientôt tout près de l'enfant, et il pose son nez sur la main du garçon.

Tout heureux de cette caresse, Remi se lève un peu et embrasse le petit chien sur son nez froid.

Il ne pense plus à sa fatigue; il sourit de joie: il a un ami.

V

LA COMEDIE

Le lendemain à six heures, la troupe de Vitalis est en route pour la ville d'Ussel.

Le matin est beau et chaud. Les chiens courent avec joie partout dans les champs près du chemin. Capi jette vers Remi des regards qui disent à l'enfant:

—Du courage, du courage!

Remi est très curieux de voir une ville.

Mais la ville d'Ussel ne l'intéresse pas beaucoup. Ses vieilles maisons le laissent très indifférent. A présent, il ne pense qu'à une chose, ne voit qu'une chose: ses souliers (*shoes*), les souliers que Vitalis va lui acheter.

Remi ne voit rien à Ussel excepté une grande salle sombre où Vitalis mène la petite troupe. C'est là que Vitalis achète des souliers pour le petit garçon.

Remi est très heureux. Mais la générosité de son maître va plus loin encore, il lui achète une blouse bleue, un pantalon (*trousers*) jaune, et un chapeau gris.

Alors Vitalis rentre à l'auberge (*inn*) avec sa troupe. A la grande surprise de Remi, son maître, avant de lui donner les beaux habits, coupe le pantalon, parce qu'il ne le veut pas si long.

Remi le regarde avec des yeux étonnés. Vitalis répond à ce regard:

—Je coupe ce pantalon, parce que je ne veux pas que tu ressembles à tout le monde. Nous sommes en France, alors tu portes les habits d'un Italien; si nous allons en Italie, ce qui est possible, tu vas porter les habits d'un Français. Crois-tu que, si nous portons des habits ordinaires, nous allons forcer tout le monde à nous regarder, à venir autour de nous? Que sommes-nous? Des artistes, des comédiens, n'est-ce pas? Et il faut exciter la curiosité du public.

Voilà comment Remi, Français le matin, est Italien le soir du même jour.

—Fais ta toilette, mon garçon, lui dit Vitalis. Il faut que tu travailles maintenant, parce que je veux donner, le jour du marché, une grande représentation (*performance*); et tu vas y jouer un rôle important. Il faut que tu répètes ton rôle pour bien le savoir.

Remi ne répond rien; il jette un regard étonné vers Vitalis.

—Ton rôle, c'est ce que tu vas avoir à faire dans cette représentation. Tu vas jouer la comédie avec mes chiens et Joli-Cœur.

Remi a peur.

—Mais je ne sais[1] pas jouer la comédie, dit-il.

—C'est pour cela que je vais te montrer comment la jouer. Tu vois, n'est-ce pas, que Capi marche avec élégance, et que Dolce aussi danse avec beaucoup de grâce; ces chiens ont travaillé beaucoup; et maintenant ce sont de bons comédiens. Eh bien! il faut que toi aussi tu travailles beaucoup pour jouer aussi bien que les chiens tes différents rôles dans ma troupe. Commençons maintenant. La comédie que nous allons représenter (*perform*), continue Vitalis, s'appelle: *Le Domestique (servant) de M. Joli-Cœur, ou Le plus stupide des deux n'est pas qui vous pensez.* Voici l'histoire: M. Joli-Cœur a depuis dix ans un domestique qui s'appelle Capi; et il est très content de ce domestique. Mais Capi est vieux maintenant, et M. Joli-Cœur, impatient, demande à Capi de lui chercher

---

[1] je sais (jouer), I know how (to play).

un domestique plus jeune; Capi cherche, et enfin il trouve un jeune garçon, qui s'appelle Remi.

—Comme moi?

—Non, pas comme toi; mais toi, Remi. Tu arrives de ton village et tu désires entrer au service de Joli-Cœur.

—Les singes (*monkeys*) n'ont pas de domestiques.

—Dans les comédies les choses sont différentes. Tu arrives alors, et M. Joli-Cœur trouve que tu ressembles à un imbécile. Imagine-toi que tu arrives chez un monsieur pour être son domestique et qu'il te dit de mettre (*set*) la table pour le déjeuner. Voici une table que nous allons employer dans notre représentation. Avance, et mets (*set*) la table.

Sur cette table il y a beaucoup de choses. Comment arranger tout cela?

Le petit garçon se pose cette question et reste étonné; il ouvre la bouche et les yeux : il ne sait pas où commencer. Son maître l'applaudit.

—Bravo, dit-il, bravo, c'est excellent. Ton visage étonné est très bon; et ta simplicité naturelle est admirable.

—Mais je ne fais rien, crie Remi, qui ne sait que faire.

—Et c'est parce que tu ne fais rien que tu es excellent. Rappelle-toi : être plus stupide que Joli-Cœur, voilà ton rôle.

Le Domestique de M. Joli-Cœur n'est pas une grande comédie, et sa représentation (*performance*) ne prend que vingt minutes. Mais Vitalis travaille trois heures avec la troupe; et il leur fait recommencer deux fois, quatre fois, dix fois la même chose, aux chiens comme à Remi.

L'enfant est bien étonné de voir la patience et la persévérance de son maître. Vitalis est toujours doux et bon, quand un membre de la troupe fait des choses stupides.

Les camarades de Remi, les chiens et Joli-Cœur, ont sur lui un grand avantage. Ils ont déjà joué la comédie devant des spectateurs et c'est avec indifférence qu'ils voient arriver le lendemain.

Mais Remi n'est pas tranquille. Qu'est-ce que Vitalis va dire, s'il ne joue pas très bien son rôle? Que vont dire les spectateurs?

Son émotion est grande quand, le lendemain, ils quittent leur auberge (*inn*) et se rendent sur la place où ils vont donner la représentation.

Vitalis marche le premier, la tête haute; et pendant qu'il marche, il joue une valse sur sa flûte.

Derrière Vitalis vient Capi, qui porte sur son dos M. Joli-Cœur, en costume de général anglais: un costume rouge et jaune, avec un chapeau couvert de grandes plumes.

Puis, à quelque distance, s'avancent Zerbino et Dolce, l'un après l'autre.

Enfin arrive Remi, derrière tous les autres.

Mais ce qui excite l'attention plus que la splendeur de leurs costumes, c'est la musique de Vitalis. Tout le monde court vite aux portes ou aux fenêtres pour regarder passer la troupe.

Quelques enfants quittent leurs maisons et marchent derrière la troupe; des hommes et des femmes, curieux, viennent aussi; et, quand Remi et Vitalis arrivent sur la place, il y a autour de la petite troupe beaucoup de spectateurs.

Leur théâtre est bien vite arrangé; il consiste en une corde (*rope*) attachée à quatre arbres. C'est sous ces arbres que la troupe donne sa représentation.

Les chiens commencent à marcher et à danser, l'un après l'autre, sous la direction de Vitalis; mais Remi ne sait pas ce qu'ils font; il ne les regarde pas; il répète toujours son rôle, qui l'inquiète beaucoup.

Vitalis prend son violon, et pendant que les chiens dansent, il joue une musique douce et tendre.

Après la première partie du programme, Capi prend un chapeau et marche lentement vers les spectateurs. Si l'argent ne tombe pas, il attend, et lève le chapeau vers la personne qui ne veut pas donner; et de son nez il frappe sur la poche qu'il veut ouvrir.

Alors, parmi les spectateurs, ce sont des cris et de grands rires:

—Il est intelligent, le chien; il connaît les hommes qui ont de l'argent.

—Allons, la main à la poche!

—Il va donner!

—Il ne va pas donner!

Et enfin, l'homme, embarrassé, prend un sou (*cent*) et le laisse tomber dans le chapeau.

Pendant que Capi reçoit les sous (*cents*) dans le chapeau, Vitalis ne dit pas un mot, mais il ne quitte pas le chapeau des yeux, et il joue toujours des airs gais sur son violon.

Bientôt Capi revient auprès de son maître, et lui rend le chapeau, qui est maintenant bien lourd.

Et maintenant Joli-Cœur et Remi vont commencer leur représentation.

—Mesdames[1] et messieurs, dit Vitalis, nous allons continuer de vous amuser par une jolie comédie qui s'appelle: *Le Domestique de M. Joli-Cœur*, ou *Le plus stupide des deux n'est pas qui vous pensez*. Ouvrez les yeux et les oreilles, et préparez-vous à applaudir.

Ce qu'il appelle «une jolie comédie» est en réalité une pantomime. Et Vitalis, pour rendre la comédie plus compréhensible aux spectateurs, prépare les situations en quelques mots.

Maintenant Vitalis joue sur son violon un air militaire pour annoncer M. Joli-Cœur, général anglais, très riche. Il a

[1] mesdames: plural of madame.

gagné (*won*) sa fortune dans l'armée. A présent M. Joli-Cœur
n'a pour domestique que le chien, Capi, mais il veut avoir
aussi un homme ou un garçon.

Pendant qu'il attend ce domestique, le général Joli-Cœur
marche avec dignité, et quand il prend un cigare, l'admiration des spectateurs est bien grande.

Il est impatient, le général, et il commence à regarder tout
autour de lui.

A ce moment, Remi entre; Capi l'amène devant Joli-Cœur.
Quand le général Joli-Cœur voit l'enfant, il lève les deux
bras d'un air étonné. C'est là le domestique que Capi lui
amène? Puis il s'approche du garçon, tourne autour de lui,
et le regarde avec curiosité.

Le singe (*monkey*) est si drôle que les spectateurs rient
beaucoup: tout le monde voit qu'il prend Remi pour un imbécile.

Le général regarde Remi quelques minutes et puis, comme
il n'est pas méchant, il fait donner au petit garçon quelque
chose à manger.

—Le général croit que ce garçon a faim et qu'après un bon
déjeuner il va être moins stupide, dit Vitalis; nous allons voir
cela.

Et Remi s'assied devant une petite table. Sur la table il
y a de bonnes choses à manger, et aussi une serviette (*napkin*).
Que faire de cette serviette?

Enfin il a une idée (*idea*): il prend la serviette et l'attache
à sa blouse comme une cravate; le général rit, et Capi tombe
sur le dos, étonné de la stupidité du garçon.

A ce moment le général, furieux, s'approche de la table,
s'assied à la place du garçon et commence à manger le
déjeuner de Remi.

Il regarde un moment la serviette, la prend ... et alors avec quelle grâce il la pose sur son uniforme! Avec quelle élégance il prend son pain! Il est irrésistible.

Tous les spectateurs rient de joie et applaudissent avec enthousiasme; et la représentation finit dans un triomphe. Tout le monde dit que M. Joli-Cœur est très intelligent, et que le domestique est très stupide.

Et ce soir-là, quand la troupe revient à l'auberge (*inn*), Vitalis dit à Remi qu'il a bien joué son rôle; et Remi est très heureux.

VI

LE MAITRE DE REMI

Trois jours après, la troupe de Vitalis quitte Ussel. Où va-t-elle? Remi, qui connaît son maître maintenant, lui pose cette question.

—Tu connais le pays? répond Vitalis.

—Non.

—Alors pourquoi me demandes-tu où nous allons?

—Parce que je ne sais pas.

—Eh bien, continue Vitalis; nous allons à Aurillac, et puis à Bordeaux; est-ce que cela t'intéresse beaucoup?

—Mais vous, vous connaissez alors tout le pays?

—Je n'ai jamais visité ces villes.

—Alors, comment connaissez-vous si bien tout ce pays?

Vitalis regarde avec attention le petit garçon.

—Tu ne sais pas lire (*read*), n'est-ce pas? lui dit-il.

—Non, il n'y a pas de livres chez mère Barberin, mais le prêtre (*priest*) de l'église a des livres qu'il lit beaucoup.

—Bon, dit Vitalis, et moi aussi j'ai quelques livres. Dans un livre que je vais te montrer bientôt, nous allons trouver les noms et l'histoire des pays que nous allons traverser. Quand je lis dans ce livre, je connais tous ces pays, je les vois. Et comment? Je prends avec mes yeux les mots qui sont dans le livre.

Pour Remi, ces mots sont une révélation. Il ne sait pas lire. Son maître d'école ne lui a pas donné la plus petite leçon.

—C'est difficile (*difficult*) de lire? demande le garçon à Vitalis.

—C'est difficile pour les personnes qui ont la tête dure. As-tu la tête dure?

—Je ne sais pas, mais je voudrais bien lire.

—Eh bien, nous allons voir.

Le lendemain soir, Vitalis montre à Remi les lettres de l'alphabet, et aussi quelques mots. Il donne aussi des leçons à Capi, qui est très intelligent. Remi a plus d'intelligence que le chien; mais Capi a l'avantage sur le garçon de se rappeler tout ce que son maître lui dit; et quand le garçon ne reconnaît pas un mot, son maître lui dit:

—Capi va lire avant Remi. Plus stupide qu'un animal, c'est bon dans la comédie, mais dans la réalité, c'est mauvais, très mauvais.

Et le garçon, qui ne veut pas être moins intelligent qu'un chien, travaille beaucoup; et il arrive enfin à lire dans un livre.

Maintenant Vitalis, qui est toujours bon, commence à lui donner des leçons de musique. Bientôt Remi joue de la harpe, et chante (*sings*) très bien.

Le garçon est heureux à présent, parce qu'il commence à aimer son maître. Et parce qu'il marche tous les jours et travaille beaucoup, il est capable de résister aux fatigues et aux privations. Vitalis, aussi, est maintenant très content d'avoir Remi avec lui; il aime bien le petit garçon.

VII

DEVANT LA JUSTICE

La petite troupe d'artistes va de village en village depuis quelques mois; elle traverse une partie du midi (*south*) de la France.

Ils ne visitent pas les très petits villages; mais quand ils voient un groupe de maisons d'un aspect pas trop misérable, Vitalis vit:

—Voilà un bon petit village. Allons-y.

Avant d'y entrer, Remi fait la toilette des chiens, et avec beaucoup de difficulté force Joli-Cœur à se préparer pour la comédie.

Quand la troupe est prête, Vitalis prend sa flûte; et ils entrent avec dignité dans le village. S'il y a beaucoup de spectateurs, ils y restent un jour et donnent une représentation.

Ils restent deux ou trois jours dans les villes, où il y a plus de spectateurs; et alors le matin Remi a la liberté d'aller où il veut. Il prend Capi avec lui et ils passent quelques heures à s'amuser dans les rues.

—Tu es très jeune, lui dit Vitalis; et comme tu traverses la France quand beaucoup d'enfants de ton âge sont à l'école, ouvre les yeux, et regarde tout ce qu'il y a autour de toi. Si tu as des questions à me poser, adresse-les-moi sans (*without*) peur. A présent je ne suis que le simple directeur d'une troupe de chiens, un pauvre vieux; mais, plus jeune, j'ai joué un rôle plus important dans le monde. Si tu travailles, tu arriveras[1] aussi peut-être à une position d'importance.

[1] tu arriveras: *fut.*, you will arrive.

Ecoute mes leçons, enfant, et dans quelques années tu penser-as[1] avec émotion au pauvre musicien qui t'a forcé à quitter ta mère Barberin.

Qui est son maître? Et pourquoi est-il si pauvre main-tenant? Et ce rôle important, quel est-il? Voilà des ques-tions qui excitent maintenant la curiosité de Remi et font travailler l'imagination alerte de l'enfant.

La troupe du signor Vitalis visite maintenant la vallée de la Dordogne. C'est un pays riche, et la petite troupe donne beaucoup de représentations.

Un jour, quand ils sortent d'un bois, Remi voit devant lui un superbe spectacle, une ville immense et une grande rivière (*river*), couverte de navires (*ships*).

—C'est Bordeaux, lui dit Vitalis. Et la grande rivière que tu vois est la Garonne.

Remi reste quelques moments étonné. Il regarde devant lui, au loin, les yeux fixés sur ce panorama qui le remplit de joie et de surprise.

Bordeaux est une grande ville, et la petite troupe donne tous les jours trois ou quatre représentations, parce qu'elle trouve toujours des spectateurs. Elle reste ici trois semaines, et reçoit du public beaucoup d'argent.

De Bordeaux, Vitalis et Remi vont à Pau. Avant d'y ar-river, ils traversent ce grand désert près de Bordeaux qui s'appelle les Landes.

Pau est tout près des Pyrénées; et Remi aime bien cette ville agréable, parce que le climat y est doux.

Ils y restent tout l'hiver, et passent leurs journées dans les rues et dans les parcs publics. Autour de la petite troupe il y a tous les jours des groupes d'enfants qui ne sont jamais fatigués des comédies. Il y a beaucoup d'enfants anglais, de

---

[1] **tu penseras:** *fut.*, you will think.

beaux garçons et de jolies petites filles avec de grands yeux doux. Tous les enfants aiment bien Remi, les chiens, et Joli Cœur; ils leur donnent beaucoup d'argent et aussi des pommes, des poires, et d'autres bonnes choses à manger.

Mais enfin les journées chaudes arrivent, et les enfants commencent à quitter la France pour rentrer en Angleterre (*England*). Plus d'une fois des enfants viennent donner la main à Joli-Cœur et à Capi pour leur dire au revoir.

Bientôt il n'y a plus d'enfants dans les parcs de Pau, et il faut partir (*leave*) et recommencer à marcher sur les grands chemins.

Ils vont de village en village; et ils voient toujours au loin les bleues Pyrénées. Enfin, un soir, la troupe arrive dans une grande ville près d'une rivière (*river*), au centre d'une plaine fertile.

—Nous sommes maintenant à Toulouse, dit Vitalis; nous allons peut-être rester ici un mois.

Le lendemain Vitalis et Remi cherchent une bonne place pour leurs représentations. Il y a beaucoup de vieux parcs à Toulouse; et, dans un de ces parcs, ils choisissent un petit coin couvert d'herbe verte, sous de beaux et grands arbres. Le jour même la troupe se rend au parc et donne une représentation devant beaucoup de spectateurs curieux.

Mais l'agent de police (*policeman*) qui a la garde de cette partie du parc n'aime pas les chiens; et il veut forcer la troupe à abandonner sa place. Vitalis, pauvre, vieux musicien des rues, résiste à cet ordre. Il sait qu'il n'est pas juste.

L'agent, furieux, lui tourne le dos, pendant que Vitalis rit.

Mais l'agent revient le lendemain et entre dans le petit théâtre.

—Il faut museler (*muzzle*) vos chiens, dit-il à Vitalis d'une voix sévère.

—Museler mes chiens!

—Oui, muselez vos chiens et toute de suite!

Pendant que l'agent parle à Vitalis, la troupe continue à jouer la comédie, *Le Domestique de M. Joli-Cœur*. L'intervention de l'agent excite des murmures parmi les spectateurs, qui écoutent avec attention.

—Laissez finir la représentation!

—Ne faites pas museler les chiens!

Et ils rient de l'agent et de Joli-Cœur, qui fait des grimaces à l'agent.

L'agent menace Vitalis de son bâton (*stick*).

—Si vous ne muselez pas vos chiens, crie-t-il, je vais vous arrêter (*arrest*)!

—Au revoir, monsieur, dit Vitalis, au revoir.

Le lendemain Vitalis dit à Remi:

—Ce méchant agent va nous aider dans notre représentation. Il ne le sait pas encore, mais il va jouer un rôle comique dans la comédie que je lui prépare; cela va nous donner de la variété. Maintenant, va avec Joli-Cœur à notre place dans le parc; joue quelques morceaux de musique sur la harpe, et attends les spectateurs et l'agent. Après cela je vais arriver avec les chiens. C'est alors que la comédie va commencer.

Remi va au parc avec Joli-Cœur et commence la représentation. Tous les spectateurs de la veille sont à leurs places, curieux de voir comment va finir la scène de l'agent de police. Quand ils ne voient que le petit garçon avec Joli-Cœur, ils lui demandent si «l'Italien» ne va pas venir aujourd'hui.

—Il va arriver bientôt.

Et Remi continue à jouer de la harpe.

Mais ce n'est pas son maître qui arrive, c'est l'agent de police. Joli-Cœur le voit, et tout de suite il prend la pose sévère de cet homme et commence à marcher près de Remi

avec une dignité comique, pendant que les spectateurs rient
de joie.

L'agent est embarrassé; il jette des regards furieux au
garçon; mais cela ne fait qu'augmenter[1] l'hilarité des spectateurs.

Joli-Cœur ne sait pas que la situation est sérieuse, et il
continue de s'amuser de l'attitude de l'agent. Remi a un peu
peur, et il appelle Joli-Cœur, mais le singe refuse de s'approcher de lui, et court dans une autre direction quand Remi
s'avance vers lui.

Alors l'agent, furieux, s'imagine que le garçon excite Joli-
Cœur; il court vers lui, et frappe le petit Remi. L'enfant
tombe sur l'herbe.

Quand il rouvre[2] les yeux et se relève, il voit Vitalis devant
l'agent.

—Cessez de frapper cet enfant, dit-il; qu'est-ce qu'il vous
fait?

L'agent regarde Vitalis, qui est superbe dans son indigna-
tion; alors, d'un mouvement vigoureux, il prend le vieux par
l'épaule, et le pousse devant lui avec brutalité.

Vitalis est sur le point de tomber; mais il résiste, lève le
bras, et frappe la main de l'agent avec beaucoup de force.

—Je vous arrête, crie l'agent de police; venez avec moi!

—Pourquoi avez-vous frappé cet enfant?

—Assez (*enough*)! venez avec moi!

Vitalis ne répond pas, mais il se tourne vers Remi.

—Rentre à l'auberge (*inn*), lui dit-il, et restes[3]-y avec les
chiens.

Le premier mouvement des chiens est d'aller avec leur

[1] augmenter, to augment, increase.

[2] rouvre = re+ouvre.

[3] restes-y: note the retention of the s in the imperative form before y.

maître, mais quand Remi les appelle et leur dit de rester près de lui, ils reviennent tout de suite.

Remi rentre à l'auberge bien triste et très inquiet. Il ne regarde plus Vitalis comme son maître, mais comme un vrai père, et il a pour lui une affection sincère.

Il attend deux jours avec impatience. Enfin il reçoit une lettre de Vitalis. Par cette lettre son maître lui dit de venir au tribunal (court) entendre la sentence.

Le lendemain, le petit garçon s'y rend à neuf heures. Pendant qu'il attend, beaucoup de spectateurs arrivent; enfin Vitalis entre et s'assied devant le président du tribunal. Il regarde partout dans la salle; il cherche Remi. Le garçon décide de quitter sa place et de s'approcher de son maître.

Vitalis le voit, et son visage triste retrouve un sourire. Remi a les larmes aux yeux.

—Vous avez frappé un agent de police, dit le président. Qu'est-ce que vous avez à dire pour votre défense?

—Oui, je l'ai frappé, mais c'est parce qu'il a frappé un enfant, pas mon enfant, c'est vrai, mais un petit garçon que j'aime comme un fils. Mon émotion m'a emporté et j'ai levé le bras d'un mouvement instinctif.

—Nous allons entendre l'agent maintenant.

Et l'agent raconte toute son histoire.

Remi croit que le président va laisser Vitalis en liberté.

Mais le président, d'une voix grave, dit que Vitalis est condamné (condemned) à deux mois de prison, et à payer cent (100) francs.

Deux mois de prison!

Les larmes viennent aux yeux de Remi, mais il les cache au pauvre vieux, qui sort de la salle avec deux agents de police.

Deux mois de séparation!

Où aller?

VIII

EN BATEAU[1]

Quand Remi rentre à l'auberge, bien triste, les yeux rouges, il trouve devant la porte l'aubergiste (*innkeeper*), qui le regarde avec attention.

L'homme ne le laisse pas entrer.

—Eh bien, dit-il au petit, ton maître?

—Il est condamné.

—A combien de jours?

—A deux mois.

—Et à payer combien d'argent?

—Cent (*100*) francs.

—Deux mois, cent francs, répète-t-il. Eh bien, mon petit, qu'est-ce que tu vas faire pendant que ton maître est en prison?

—Je vais attendre, monsieur.

—Ah! tu as de l'argent?

—Non, monsieur, je n'ai pas d'argent.

—Alors, mon garçon, il faut que tu quittes cette auberge

—Quitter cette auberge? Mais où aller?

—Ce n'est pas mon affaire. Je ne suis pas ton père; je ne suis pas non plus ton maître. Il me doit déjà trop d'argent; je n'ai plus de pain pour toi et ta troupe. Prends tes chiens et ton singe, mais laisse-moi le sac de ton maître. Va travailler avec ta troupe dans les villages autour de Toulouse, et reviens ici dans deux mois.

—Et si une lettre arrive pour moi?

—Je vais te la garder.

[1] bateau, boat.

—Mais si je ne réponds pas à mon maître?

—Ce n'est pas mon affaire. Je t'ai dit de sortir d'ici. Eh bien, va chercher tes chiens et pars (*leave*) tout de suite. Je te donne cinq minutes.

Il n'y a plus rien à dire. Le pauvre Remi entre dans l'auberge, prend son sac et sa harpe, et mène les chiens et Joli-Cœur dans la rue. Le garçon marche vite, parce que les chiens ne sont pas encore muselés (*muzzled*). Il a grand'peur des agents de police. Remi a de la responsabilité maintenant; il est directeur de troupe.

Pendant qu'ils marchent, les chiens lèvent la tête vers le garçon et lui jettent des regards qui disent qu'ils ont faim.

Joli-Cœur, qu'il porte sur son sac, prend l'oreille du garçon et l'oblige à tourner la tête; alors le singe se frappe sur l'estomac (*stomach*) avec énergie, et son mouvement n'est pas moins expressif que le regard des chiens.

Remi a faim aussi; il n'a pas déjeuné non plus; mais il n'a que onze sous (*cents*) dans sa poche.

La petite troupe marche deux heures. Alors Remi se croit loin de Toulouse et des agents de police, et il va acheter huit sous de pain[1] pour sa troupe. Remi et les chiens mangent le pain de bon appétit, assis sous un arbre près du chemin.

Mais que vont-ils faire le lendemain? Remi n'a que trois sous dans sa poche. S'ils désirent manger, il faut donner une représentation. Remi regarde la petite troupe d'un œil triste; puis, avant de continuer son chemin, il adresse quelques mots à ses camarades.

—Oui, mon ami Capi, dit-il, oui, mes amis Dolce, Zerbino, et Joli-Cœur, oui, mes camarades, j'ai quelque chose de malheureux à vous annoncer; notre maître est obligé de rester deux mois en prison.

[1] **huit sous de pain, eight cents worth of bread.**

—Ouah! crie Capi.

—C'est bien triste pour lui, et aussi pour nous, parce qu'en son absence, nous allons nous trouver dans une terrible situation. Nous n'avons pas d'argent.

Sur ce mot, qu'il connaît si bien, Capi se lève vite, prend le chapeau de Remi, et commence à marcher avec dignité autour du garçon. Mais cette fois il[1] ne tombe pas d'argent dans le chapeau.

Les chiens ont écouté Remi avec la plus grande attention, et le petit garçon n'est plus si triste. Après quelques moments de repos, la troupe reprend sa route.

Au bout d'une heure, l'enfant voit au loin un petit village. Il fait la toilette de ses comédiens, et ils entrent dans ce village en aussi bel ordre que possible. Remi choisit une bonne place pour la représentation, et commence tout de suite à jouer de la harpe. Zerbino et Dolce dansent, la musique est gaie, mais personne ne vient regarder la petite troupe. C'est bien triste. Alors le garçon commence à chanter (*sing*), mais sans plus de succès.

Enfin, au bout de quelques minutes, il voit un homme s'approcher de lui.

—Holà! crie-t-il, que fais-tu ici, méchant garçon?

Remi reste si étonné qu'il ne trouve pas un mot à dire.

—Eh bien, vas-tu répondre? dit l'homme.

—Vous voyez bien, monsieur, que je donne une représentation.

—As-tu la permission de chanter sur la place publique?

—Non, monsieur.

—Alors, quitte le village si tu ne veux pas aller en prison.

Remi ne se fait pas répéter cet ordre deux fois, et en cinq

---

[1] il (impersonal), there; the real subject of the verb is **d'argent**; cf. **il y a.**

minutes la petite troupe sort du village et continue son chemin.

Il n'y a rien à manger ce soir-là; et Remi et ses camarades se couchent dans un bois. La soirée[1] est très chaude, et Remi dort (*sleeps*) bien, tout près de son ami Capi.

Le lendemain matin, quand Remi ouvre les yeux, Capi est là, assis devant lui, qui le regarde de ses bons yeux. La troupe fait sa toilette du matin, et continue sa route. Bientôt l'enfant voit au loin une église, et en vingt minutes la troupe arrive à un village.

Là Remi achète tout de suite un peu de pain. Pour trois sous il ne reçoit qu'un très petit morceau de pain, et ils finissent bien vite leur premier déjeuner.

Maintenant il faut bien donner une représentation, parce que l'enfant n'a plus d'argent. Mais Remi ne veut pas la donner à cette heure. Alors il marche dans les rues avec sa troupe pour chercher la place la plus favorable à une représentation.

Pendant que le petit maître de la troupe cherche quelque bon petit coin, Joli-Cœur, Capi, et Dolce marchent derrière lui; mais Zerbino, le vilain, entre vite dans une maison, d'où il sort un moment après avec un morceau de viande (*meat*).

La vieille femme qui demeure dans cette maison court après Zerbino et crie: «Arrêtez-le, arrêtez-les tous!»

Remi, qui a peur des agents de police, commence aussi à courir avec rapidité. Les chiens ne courent pas moins vite que leur maître, et Joli-Cœur a beaucoup de difficulté à rester assis sur les épaules de son petit maître.

Enfin, quand la troupe est loin du village, Remi regarde derrière lui. Il ne voit pas Zerbino. Où est-il?

Remi appelle Capi.

[1] soirée: see n. 4, p. 2.

—Va me chercher Zerbino, lui dit-il.

Alors Remi s'assied sur l'herbe, tout près d'un canal. Il est bien content de se reposer un peu. La vue des arbres verts et du canal calme est très agréable aux yeux du garçon fatigué. Une heure passe, et enfin Capi revient, la tête basse. Pas de Zerbino! Capi ne l'a pas retrouvé.

Remi connaît bien Zerbino; il sait qu'il va revenir repentant; mais il faut l'attendre. Le garçon se couche sous un arbre; bientôt il s'endort (*falls asleep*).

Quand il rouvre les yeux, les heures ont passé, et il a grand'faim. L'air malheureux des deux chiens et de Joli-Cœur montrent à l'enfant qu'ils ont faim aussi.

Remi appelle Zerbino, mais le chien ne vient pas. Que faire? La troupe est dans une terrible situation, et c'est Zerbino qui est la cause de ce désastre; mais Remi ne pense pas à l'abandonner. Si Remi ne ramène pas à Vitalis ses trois chiens, qu'est-ce que son maître va dire? Et puis, après tout, Remi l'aime, ce méchant Zerbino.

Le garçon décide, alors, d'attendre jusqu'au soir. Mais c'est dur de rester comme cela dans l'inaction et d'entendre les cris des pauvres chiens, qui ont si grand'faim.

Remi prend sa harpe et commence à jouer un morceau de musique gaie. Après quelques moments d'hésitation, les chiens commencent à danser, et bientôt Remi et ses comédiens ne pensent qu'à la musique.

Comme Remi finit le premier morceau de musique, il entend une voix d'enfant crier: «bravo!» Cette voix vient de derrière lui. Il se tourne vite vers le canal.

Là il voit un bateau (*boat*); ce n'est pas un bateau ordinaire; il ressemble à une petite maison, avec des chambres, des fenêtres, et une véranda.

Sur cette véranda il y a deux personnes: une dame (*lady*)

jeune encore, au visage noble et triste, et un enfant, un garçon de huit ou neuf ans, couché[1] sur un lit.

C'est cet enfant qui a crié «bravo.»

Remi ôte son chapeau, et remercie l'enfant qui l'applaudit.

—C'est pour votre amusement que vous jouez? lui demande la dame, avec un accent anglais.

—Je fais travailler mes comédiens; et puis, j'aime la musique.

L'enfant fait un signe, et la dame l'écoute. Puis elle lève la tête et demande à Remi:

—Voulez-vous jouer encore?

—Mais oui, madame; voulez-vous une danse (*dance*) ou une comédie?

—Oh! une comédie! crie l'enfant.

Mais la dame dit qu'elle préfère une danse.

Remi prend sa harpe et joue un air de danse. Les chiens et Joli-Cœur commencent à danser. Ils ne sont pas fatigués maintenant; ils vont peut-être avoir un bon dîner après la représentation.

Comme ils finissent un des exercices, à la grande surprise de Remi, Zerbino sort de derrière un grand arbre et prend sa place parmi ses camarades.

Pendant qu'il joue, Remi regarde l'enfant sur le bateau (*boat*). Ce garçon reste toujours à la même place. Il tourne la tête et il applaudit des deux mains, mais il ne fait jamais d'autre mouvement.

Est-il paralysé? Est-il attaché à son lit? Son visage est très pâle, son expression est douce et triste.

—Combien demandez-vous pour les places à votre théâtre? dit la dame.

—C'est ce que vous voulez, madame, répond Remi.

[1] couché, lying.

—Alors, maman, il faut lui donner beaucoup d'argent, dit l'enfant.

Puis il dit en anglais quelque chose à sa mère.

—Arthur voudrait bien voir vos acteurs de plus près, dit la dame.

Remi fait signe à Capi, qui saute dans le bateau.

—Et les autres? crie Arthur.

Zerbino et Dolce sautent aussi dans le bateau.

—Et le singe? Est-il méchant?

—Non, madame, mais je ne suis jamais sûr de lui.

—Eh bien, embarquez avec lui.

Le bateau s'approche de Remi et le garçon y entre, sa harpe sur l'épaule, et Joli-Cœur dans sa main.

—Le singe! le singe! crie Arthur.

Remi s'approche de l'enfant et le petit malade caresse Joli-Cœur avec joie.

—Vous avez un père, n'est-ce pas, mon enfant? demande la dame à Remi.

—Non, j'ai bien un maître, mais à présent je n'ai personne.

—Et quand allez-vous revoir votre maître?

—Dans deux mois.

—Deux mois! Oh! mon pauvre petit! A votre âge c'est très malheureux!

—Oui, mais il le faut bien,[1] madame.

—Votre maître vous oblige, n'est-ce pas, à lui donner quelque argent au bout des deux mois?

—Non, madame, il ne m'oblige à rien. Si je trouve assez (*enough*) à manger pour la troupe, c'est tout ce qu'il me demande.

—Et vous avez trouvé quelque chose à manger jusqu'à ce jour?

[1] bien is used here for emphasis.

La dame parle avec sympathie; et sa voix est si douce et son regard est si tendre, que Remi décide de lui raconter toute l'histoire.

Il lui dit, alors, que son maître Vitalis est en prison et que sa petite troupe n'a mangé que très peu depuis (*since*) le jour de la séparation.

—Alors, vous avez tous grand'faim! crie Arthur.

A ce mot qu'ils connaissent bien, les chiens et Joli-Cœur commencent à crier.

—Oh! maman! dit Arthur.

La dame dit quelques mots en anglais à une femme; et bientôt cette femme s'approche de la troupe avec une petite table couverte de bonnes choses à manger.

—Voici votre dîner, mon enfant, dit la dame à Remi.

Le garçon pose sa harpe et s'assied vite devant la table; Joli-Cœur et les chiens se placent autour de lui.

Arthur ne dit rien, mais il les regarde manger, étonné de leur appétit.

—Où allez-vous dîner demain (*tomorrow*)? demande-t-il.

—Peut-être allons-nous avoir la bonne fortune de trouver demain de bons spectateurs comme aujourd'hui.

Arthur se tourne vers sa mère et lui parle en anglais. Il est évident que le garçon demande à sa mère quelque chose qu'elle ne veut pas lui donner.

Bientôt l'enfant tourne la tête vers Remi.

—Voulez-vous rester avec nous? dit-il.

Remi est si étonné de cette question qu'il ne répond pas.

—Mon fils vous demande si vous voulez rester avec nous, dit la dame d'une voix douce.

—Sur ce bateau!

—Oui, sur ce bateau. Mon fils est malade, et il faut qu'il reste couché dans son lit comme vous le voyez. Voulez-vous demeurer avec nous, nous donner des représentations avec votre troupe? Arthur est bien content quand vous jouez de la harpe. Si vous voulez nous rendre ce service, mon enfant, vous n'allez pas être obligé de chercher tous les jours des spectateurs.

Remi prend la main de la dame et l'embrasse.

—Pauvre petit! dit-elle.

Puis elle fait un signe, les chevaux qui sont attachés au bateau commencent à marcher, et le bateau avance lentement sur le canal tranquille.

—Voulez-vous jouer? demande Arthur.

Remi prend son instrument et appelle les chiens et Joli-Cœur; puis il commence à jouer.

IX

REMI TROUVE UN AMI

[Remi's new friends, Mrs. Milligan and her little boy Arthur, are English. An older son had disappeared at the age of six months under very mysterious circumstances. The boy's father was, at the time, on his deathbed, and Mrs. Milligan herself was critically ill. A search directed by a brother-in-law, James Milligan, proved fruitless. However, it was to his interest not to find the boy, for in that event he would become his brother's heir. Unfortunately for his hopes, however, Arthur was born six months after his father's death, and he inherited the property. But Arthur was a sickly child, and the doctors said he could not live long. So James Milligan had only to bide his time. Up to the present, however, the loving care of Mrs. Milligan has brought Arthur safely through many crises. She is now traveling with him through France in a houseboat, the *Cygne*, in an attempt to make his confinement in bed more endurable and even enjoyable.]

Remi est très heureux auprès de madame Milligan et d'Arthur. Il trouve un bon ami dans le petit malade; il se laisse aller, sous l'influence de la sympathie, à regarder Arthur comme un frère; et madame Milligan parle toujours au petit Remi, comme à son fils, d'une voix douce et tendre.

Les jours, les semaines passent, trop vite pour Remi et sa troupe. Le *Cygne* arrive à Carcassonne, cette vieille ville aux murs antiques, et y reste quelques jours; puis il descend à Béziers. Bientôt après, il arrive dans la ville de Cette, près de la Méditerranée. Remi compte les jours maintenant parce qu'il sait que son maître va bientôt sortir de prison. Le petit garçon est heureux mais aussi un peu triste, quand il y pense. C'est si bon de demeurer comme cela en bateau; mais bientôt il va reprendre la route avec Vitalis. Et le plus dur pour le petit, c'est de quitter Arthur et madame Milligan, de penser qu'il ne va plus les revoir.

Un jour, enfin, Remi dit à madame Milligan qu'il voudrait retourner à Toulouse pour attendre son maître devant la porte de la prison.

Quand Arthur sait que Remi va le quitter il est très malheureux.

—Je veux que Remi reste ici! crie-t-il.

Remi répond qu'il voudrait bien rester avec Arthur; mais qu'il a un maître à qui il doit ses services.

Il parle aussi de mère Barberin et de Jérôme Barberin à madame Milligan; mais il ne lui dit pas qu'ils ne sont pas ses vrais parents; il ne voudrait jamais dire à madame Milligan et à Arthur qu'il n'est qu'un enfant trouvé. Personne n'aime un enfant trouvé.

—Maman, je veux que Remi reste toujours auprès de nous; ne le laissez pas nous quitter, continue Arthur.

—Moi aussi, je voudrais bien que Remi reste ici, répond madame Milligan, parce que j'ai beaucoup d'affection pour lui; mais il faut que son maître lui en[1] donne la permission. Je voudrais parler à son maître et pour cela je vais l'inviter à venir nous voir à Cette, parce qu'il nous est impossible de retourner à Toulouse; s'il trouve aussi dans ma lettre d'invitation l'argent pour son voyage, je crois qu'il voudrait bien se rendre ici. S'il accepte mes propositions, je vais consulter aussi les parents de Remi.

Trois jours après, la réponse de Vitalis arrive; il a accepté l'invitation de madame Milligan.

Remi demande à madame Milligan la permission d'aller à la gare; et quelques jours après, il prend les chiens et Joli-Cœur avec lui et va à la gare attendre son maître, qui va arriver par le train de deux heures.

Les chiens ne sont pas tranquilles; Joli-Cœur est indiffé-

[1] Disregard en.

rent; mais pour Remi, il est très, très inquiet. Vitalis va peut-être dire à madame Milligan qu'il n'est qu'un enfant trouvé! Oh! enfant trouvé! Remi a bien peur de ces deux terribles mots.

Les chiens sont les premiers à entendre approcher le train. Ils quittent Remi, qui les appelle, et courent avec joie vers le train. Bientôt Remi les voit sauter autour de Vitalis, qui descend du train dans son costume habituel. Plus prompt que ses camarades, Capi saute tout de suite dans les bras de son maître, qui le caresse.

Maintenant Remi s'avance vers son maître; et Vitalis prend le petit garçon dans ses bras. Pour la première fois, il embrasse l'enfant, et lui dit d'une voix douce:

—Bonjour, pauvre petit!

Ses caresses font venir les larmes aux yeux de Remi. Le garçon regarde son maître; il le trouve plus vieux maintenant; son visage est triste; il a les yeux fatigués.

—Eh bien! tu me trouves changé, n'est-ce pas, mon garçon? dit-il à Remi; ce n'est pas bon de demeurer dans une prison. Où est cette dame qui t'a aidé?

—Elle est à l'hôtel.

En route pour l'hôtel, Remi raconte à Vitalis toutes ses aventures sur le bateau avec madame Milligan et son fils.

—Et cette dame m'attend? dit Vitalis, quand ils entrent à l'hôtel.

—Oui, je vais vous mener à son appartement.

—Non, attends-moi ici; reste avec les chiens et Joli-Cœur.

Vitalis monte à la chambre de madame Milligan. Bientôt Remi le voit revenir.

—Va dire adieu à cette dame, dit-il au garçon; je t'attends ici; je te donne dix minutes.

Remi se lève très étonné. Puis il se tourne vers son maître:

—Vous lui avez dit ... demande-t-il.

—Je lui ai dit que je veux tes services, qu'il ne m'est pas possible de te laisser ici. Va vite, et reviens tout de suite.

Quand Remi entre dans l'appartement de madame Milligan, il trouve Arthur en larmes, pendant que sa mère cherche à le consoler.

—N'est-ce pas, Remi, que vous n'allez pas nous quitter? crie Arthur.

Madame Milligan répond pour Remi. Elle dit qu'il faut que Remi les quitte pour travailler avec son maître.

—J'ai demandé à M. Vitalis de vous laisser ici, mais il ne veut pas y consentir, dit-elle d'une voix triste.

—C'est un méchant homme, dit Arthur.

—Non, ce n'est pas un méchant homme. Il n'est pas le père de Remi mais il est son maître; il aime le petit et je suis sûre qu'il est bon pour lui. Je vais consulter vos parents, mon petit Remi, je ne vais pas encore vous abandonner. C'est à Chavanon qu'ils demeurent, n'est-ce pas? continue madame Milligan.

Remi ne lui répond pas; il ne veut pas lui dire qu'il n'a pas de parents. Madame Milligan prend le pauvre enfant dans ses bras et l'embrasse, le visage triste. Puis Remi s'approche d'Arthur et l'embrasse avec beaucoup d'affection.

Alors il se tourne et court vers la porte.

—Arthur, je vous aimerai[1] toujours, dit Remi, les larmes aux yeux; et vous aussi, madame, ...

—Remi, Remi! crie Arthur.

Mais Remi n'écoute pas; il quitte la chambre, et, une minute après, il est auprès de son maître.

—En route! lui dit Vitalis.

Et ils sortent de Cette par la route de Frontignan.

[1] j'aimerai: *fut.*, I shall love.

X

L'HIVER

La troupe de Vitalis est encore une fois sur les grands chemins. Ils visitent beaucoup de villes et de villages. Ils y jouent leurs comédies sur les places publiques, où ils rient et pleurent pour l'amusement des spectateurs.

Pour Remi, la transition est brusque. Il est dur de marcher toute la journée, et le pauvre enfant est très fatigué le soir. Quand il se couche dans quelque auberge misérable, il pense avec regret à son bon petit lit sur le *Cygne*. Plus d'une fois, pendant qu'il marche lentement derrière Vitalis, il pense à Arthur et à madame Milligan, qu'il ne va jamais revoir.

Ah! les bons jours! Mais Remi a une consolation: son maître est beaucoup plus doux, beaucoup plus tendre, qu'avant leur séparation. C'est plus qu'un maître pour le garçon maintenant; c'est un ami, un père. Et à présent Remi a plus de respect pour Vitalis. Quand il regarde son maître avec attention, il trouve en lui des points de ressemblance avec madame Milligan. Quand Vitalis le veut, c'est un monsieur tout comme madame Milligan est une dame. Pourquoi, alors, n'est-il qu'un pauvre directeur d'une troupe de chiens?

Quand la troupe arrive dans une ville, Arles, Tarascon, Avignon, Valence, la première visite de Remi est pour les quais: il cherche le *Cygne*, et quand il voit au loin un bateau, il attend, et croit déjà voir ses amis.

Mais ce n'est jamais le *Cygne*.

A Lyon ils restent deux ou trois semaines; et tous les jours Remi passe quelques heures sur les quais du Rhône et de la Saône. Mais il cherche en vain; il ne trouve pas le *Cygne*.

Un jour la petite troupe quitte Lyon et se rend vers Dijon. Remi, qui a consulté une carte (*map*) de France à Lyon, sait bien qu'il n'y a plus de chance maintenant de revoir le *Cygne* et madame Milligan, parce que le canal du Centre quitte la Saône à Chalon, une ville près de Dijon.

Remi est très triste ; et ce qui le rend plus malheureux, c'est que le froid est maintenant excessif. Pendant que la petite troupe traverse la Côte d'Or, les journées sont très dures. Le pauvre Joli-Cœur est plus triste que les autres.

Vitalis a l'intention de se rendre à Paris aussi vite que possible et d'y passer l'hiver, parce que dans cette grande ville la troupe a la chance de donner beaucoup de représentations.

A Châtillon, ils se reposent dans une auberge. Le lendemain matin, le froid est intense.

—Restez ici avec votre troupe, monsieur, dit l'aubergiste (*innkeeper*) à Vitalis ; la neige (*snow*) va bientôt tomber.

—Mais je veux arriver à Troyes avant la neige, répond Vitalis.

—C'est impossible, monsieur ! Vous n'allez pas arriver à Troyes avant une heure.

Mais Vitalis quitte l'auberge avec sa troupe, et prend le chemin qui mène à Troyes. Vitalis porte Joli-Cœur sous sa peau de mouton (*sheepskin*) ; et les chiens courent devant Remi et leur maître. Il n'y a personne sur la route, personne dans les champs ; Remi, qui regarde au loin, ne voit pas de village, pas de maisons.

La neige (*snow*) commence à tomber lentement, puis plus vite, et bientôt une tempête de neige enveloppe la petite troupe. Ils s'avancent lentement avec difficulté ; ils ne voient rien. Il leur est difficile de lever les yeux et d'ouvrir la bouche ; ils marchent en silence. Les pauvres chiens marchent derrière leur maître, très malheureux maintenant.

—Si la neige continue à tomber, dit Vitalis à Remi, nous allons entrer dans quelque maison pour demander une chambre. Si tu vois une maison, dis-le moi.

Un peu après, ils entrent dans un bois. Remi a peur maintenant: comment trouver une maison là, dans la forêt? La situation n'est pas gaie.

La neige tombe toujours et le pauvre garçon est très fatigué. Il est sur le point de tomber sur la neige, quand il entend Vitalis qui l'appelle. Remi regarde et voit, non loin devant lui, une hutte (*hut*) dans les bois. Ils s'approchent vite de la hutte. Les chiens y entrent les premiers, et se roulent (*roll*) sur le dos avec joie.

Vitalis et Remi regardent autour de la chambre; et à leur grande joie ils trouvent cinq ou six briques (*bricks*) dans un coin.

Maintenant, du feu! Sur les briques ils préparent bientôt un petit feu de bois. Joli-Cœur prend la meilleure place devant le feu et présente à la flamme ses petites mains.

Vitalis, qui est un homme de précaution et d'expérience, porte toujours dans son sac quelque chose à manger. Maintenant il donne des petits morceaux de pain aux chiens, à Joli-Cœur, et à Remi.

—Je ne connais pas la route, dit Vitalis au garçon; je ne connais pas cette forêt non plus. Nous allons rester ici pour le présent; j'ai peur d'aller plus loin ce soir.

Remi se couche avec les chiens et Joli-Cœur auprès du feu. Vitalis, couvert de sa peau de mouton, se couche près de Remi.

Quelques heures après, un cri réveille Remi. C'est la voix de Capi. Le petit garçon ouvre les yeux avec surprise. Vitalis aussi se lève, très inquiet, et regarde partout dans la chambre.

—Eh bien! dit-il, où sont Zerbino et Dolce?

Zerbino et Dolce ne sont pas là!

—Ecoutez! dit Remi. Il entend au loin un petit cri triste qui répond aux cris de Capi. C'est la voix de Dolce, et cette voix vient de derrière la hutte.

Le garçon va sortir; mais à ce moment un cri formidable frappe ses oreilles, dans le silence. A ce cri, Capi a grand'peur, et court près de son maître.

—Des loups (*wolves*)! crie Vitalis. Où sont Zerbino et Dolce?

Oui, où sont les pauvres chiens? Imprudents, ils ont quitté la hutte; est-ce que les loups les ont emportés?

—Vite, allons à l'aide des chiens, dit Vitalis.

Vitalis et Remi s'arment de grandes torches de bois et quittent la hutte. Ils cherchent partout autour de la hutte, mais ils ne voient pas de chiens, ils ne voient pas de loups.

—Cherche, cherche, Capi, lui dit son maître; et Vitalis appelle Zerbino et Dolce, mais ils ne lui répondent pas. Il appelle encore; il écoute; le silence continue.

—S'ils ne me répondent pas maintenant, dit Vitalis d'une voix triste, c'est qu'ils ne sont plus ici. Maintenant, rentrons à la hutte; si les loups nous attaquent, nous n'avons pas d'armes pour nous défendre.

Mais ici une autre surprise attend Vitalis. Joli-Cœur, qu'ils ont laissé devant le feu, n'est plus là.

Remi l'appelle; Vitalis aussi l'appelle; il ne se montre pas. Ils le cherchent dans tous les coins; ils ne le trouvent pas. Autour de la hutte, dans la neige, pas de trace, rien.

—Les loups ont-ils emporté aussi ce pauvre Joli-Cœur? demande Remi à son maître.

—Non, lui dit-il, je ne le pense pas; mais il est probable que ces cris terribles l'ont réveillé et qu'il a quitté la hutte

pour nous chercher. Je suis très inquiet pour lui, parce qu'il va prendre froid. Et pour un singe le froid est fatal.

—Alors, cherchons encore.

—Il faut maintenant attendre le jour, répond Vitalis.

Les heures passent très lentement pour le petit garçon; il commence à croire que le matin ne va jamais arriver. Mais avec le jour vient un froid excessif.

—Si nous retrouvons Joli-Cœur, peut-être sera[1]-t-il mort, pense Remi.

Quand la première lumière du matin donne aux arbres leurs formes réelles, ils sortent de la hutte et recommencent à chercher. Après quelques moments, Capi, qui cherche avec ses maîtres, lève la tête et saute de joie; cela signifie qu'il voit quelque chose en l'air, dans un arbre.

Vitalis et Remi lèvent la tête, et des yeux ils cherchent partout dans l'arbre; enfin ils voient sur une haute branche une petite forme de couleur sombre.

C'est Joli-Cœur. Son maître l'appelle d'une voix douce; mais le pauvre petit animal ne fait pas un mouvement. Est-il déjà mort?

Alors Remi monte sur l'arbre pour aller le chercher. Il s'approche de Joli-Cœur et lui parle d'une voix douce. Joli-Cœur le regarde de ses yeux brillants; enfin, il descend vite de branche en branche, saute sur l'épaule de son maître, et se cache sous ses habits.

C'est beaucoup d'avoir retrouvé Joli-Cœur, mais ce n'est pas tout: maintenant il faut chercher les chiens.

A la lumière du jour, Vitalis lit dans la neige la triste histoire des deux chiens: il y a partout des traces rouges. Il est évident que les loups (*wolves*) ont emporté les chiens. Pauvre Zerbino! pauvre Dolce!

---

[1] **il sera:** *fut.* être, he will be.

Maintenant Vitalis rentre vite dans la hutte; il présente les petites mains de Joli-Cœur au feu, mais le pauvre animal a toujours froid. Vitalis ne dit rien au petit garçon. Ils restent là, immobiles, auprès du feu. Qu'est-ce qu'ils vont faire maintenant sans les deux chiens?

Quelques moments après, Vitalis lève la tête et regarde Joli-Cœur. Le petit animal tremble toujours de froid.

—Il faut trouver un village, dit Vitalis, ou Joli-Cœur va mourir (*die*) ici. En route!

Remi appelle Capi, qui vient lentement. Il pense peut-être à ses deux camarades, Zerbino et Dolce.

Une heure après, ils arrivent dans un grand village. Là, Vitalis cherche la meilleure auberge (*inn*), et demande une bonne chambre avec du feu. Une servante reçoit l'ordre de les y mener.

—Vite, couche-toi, dit Vitalis à Remi pendant que la servante fait du feu.

Remi reste un moment étonné: pourquoi se coucher? Il voudrait bien manger avant d'aller au lit.

—Allons, vite, répète Vitalis.

Pendant que Remi fait ce que son maître lui demande, Vitalis tourne et retourne[1] le pauvre petit Joli-Cœur devant le feu. Puis Vitalis le place dans le lit auprès de Remi. Remi le prend dans ses bras; le pauvre animal ne fait pas un mouvement; il n'a plus froid, son petit visage et ses mains sont très chauds. Il regarde son maître et Remi de ses yeux brillants; et ses regards tristes les prient de ne pas le tourmenter.

Vitalis est touché, et aussi très inquiet. Il est évident que le pauvre Joli-Cœur est bien malade.

—Reste au lit, dit-il à Remi; je vais aller chercher un médecin.

---

[1] il tourne et retourne, he turns over and over.

Bientôt Vitalis revient; et cette fois il amène avec lui un monsieur à l'air important—le médecin. Le médecin ne sait pas encore que le singe est le malade. Quand il voit Remi dans le lit, il s'approche de lui, pose la main sur la tête du garçon, et dit:

—Congestion!

Remi a peur de ce mot. Il dit vite:

—Ce n'est pas moi qui suis malade.

—Pas malade?

Remi ne lui répond pas, mais il lui montre Joli-Cœur.

—C'est lui qui est malade! dit-il.

Le médecin se tourne vers Vitalis.

—Un singe! crie-t-il, c'est pour un singe que vous m'avez amené ici!

Et il va vers la porte.

Vitalis le prie de rester un moment; en quelques mots il lui raconte l'histoire de la nuit dans le bois.

—Oui, continue-t-il, le malade n'est qu'un singe, mais quel singe intelligent! et c'est encore plus, c'est notre camarade, notre ami! Je ne voudrais pas appeler pour lui un simple vétérinaire!

Il parle si bien que le médecin abandonne bientôt la porte pour se rapprocher du lit; il consent à aider le pauvre Joli-Cœur. Mais il n'y a pas grand'chose à faire pour le pauvre petit malade.

Le lendemain matin Vitalis dit à Remi:

—J'ai donné tout notre argent pour payer le médecin, le feu, et la chambre, mon petit Remi. Il faut donner une représentation ce soir.

—Comment donner une représentation sans Zerbino, sans Dolce, sans Joli-Cœur? Impossible! se dit Remi.

Mais Vitalis laisse Remi avec leur malade et sort pour faire des arrangements. Il trouve une salle, il y arrange un théâtre, et il prépare un programme.

Le soir, quand Vitalis, Remi, et Capi sont prêts à sortir, Joli-Cœur veut se lever; puis il demande son costume de général anglais. Le pauvre animal, si malade, veut aller avec ses amis. Les larmes aux yeux, il prie son maître de le laisser aller avec lui.

—Tu désires jouer? dit Vitalis.

—Oui, oui! crie toute la personne de Joli-Cœur.

—Mais tu es malade, pauvre petit Joli-Cœur!

—Je ne suis plus malade! disent ses regards.

Mais ce que Joli-Cœur demande est impossible; et ils laissent dans son lit près d'un bon feu le pauvre petit, qui pleure à chaudes larmes.

Un peu plus tard, Vitalis, Remi, et Capi sont dans leur théâtre. Ils attendent les spectateurs, qui arrivent très lentement, hélas! Tous les petits garçons du village occupent des places, mais ce[1] ne sont que des petits garçons pauvres, qui n'ont pas d'argent dans leurs poches. Enfin Vitalis décide de commencer.

Remi ouvre le programme avec sa harpe; mais personne ne l'applaudit. Capi a plus de succès; tout le monde l'aime et l'applaudit avec enthousiasme.

Enfin, Vitalis se lève:

—Maintenant, dit-il aux spectateurs, si vous le désirez, je vais chanter (*sing*) quelques airs. Puis Capi va s'approcher de vous pour vous prier d'ouvrir vos poches; je vous le dis à l'avance.

Alors Vitalis choisit deux airs que tout le monde connaît,

_____
[1] ce, they.

deux airs d'opéra; il les chante si bien, que Remi, dans son coin, commence à pleurer.

Bientôt Remi voit une jeune dame (*lady*) qui occupe la première place, et qui applaudit de toutes ses forces. C'est une vraie dame, jeune, belle, et peut-être la plus riche du village. Il voit avec surprise que cette dame ne donne rien à Capi, quand il passe devant elle avec le chapeau.

Après un moment, la dame fait un signe de la main au garçon, qui s'approche d'elle.

—Je voudrais parler à votre maître, lui dit-elle.

Remi est un peu étonné, mais il revient à Vitalis.

—Que me veut cette dame? demande Vitalis.

—Vous parler.

—Je n'ai rien à lui dire.

—Elle n'a rien donné à Capi; elle veut peut-être lui donner maintenant.

Alors Vitalis s'approche de la dame avec Capi.

—Pardonnez-moi, lui dit-elle, mais je veux vous complimenter. Je suis musicienne; et je sais que votre talent est grand.

Un grand talent chez[1] son maître, chez Vitalis! Remi, étonné, écoute tout cela avec la plus grande surprise.

—Il n'y pas de talent chez un vieux comme moi, dit Vitalis. C'est bien simple. Dans des jours plus heureux j'ai demeuré chez un grand musicien, en qualité de domestique, et par imitation, j'ai commencé à répéter quelques airs de mon maître; voilà tout.

La dame ne répond pas; elle regarde Vitalis, qui reste devant elle dans une attitude embarrassée.

—Au revoir, monsieur, dit-elle lentement; et elle prononce ce mot «monsieur» avec une intonation bien spéciale. Au

---

[1] un grand talent chez son maitre! his master has a great talent!

revoir, et encore une fois, laissez-moi vous remercier de l'émotion que vous m'avez donnée.

Alors elle se tourne vers Capi et lui donne un louis d'or;[1] puis, lentement, elle sort de la salle.

—Elle a donné un louis à Capi, dit Remi, heureux.

Vitalis regarde le garçon mais il pense à autre chose.

—Un louis d'or! répète Remi.

—Un louis, dit Vitalis; ah! oui, c'est vrai ... Pauvre Joli-Cœur, allons le retrouver.

Remi et son maître rentrent vite à l'auberge. Remi monte à la chambre et y entre devant Vitalis; le feu ne donne plus de flamme.

Remi cherche Joli-Cœur, étonné de ne pas l'entendre.

Il le trouve sur son lit. Il porte maintenant son uniforme de général, et il ne fait pas un mouvement.

Remi, qui ne veut pas le réveiller, s'approche lentement de lui, et lui prend la main.

Cette main est froide.

A ce moment, Vitalis entre dans la chambre.

Remi se tourne vers lui.

—Joli-Cœur est froid!

Vitalis s'approche vite de Joli-Cœur.

—Hélas! dit-il, il est mort. Vois-tu, Remi, c'est moi qui suis la cause de tout cela, parce que je ne t'ai pas laissé avec madame Milligan. Zerbino, Dolce. Aujourd'hui Joli-Cœur. Et ce n'est pas tout.

[1] louis (d'or), a gold coin worth twenty francs (about four dollars at the time of this story).

XI

A PARIS

Le chemin qui mène à Paris est long; et comme nos artistes n'ont que très peu d'argent, ils ont froid et faim. Ils ne voient personne sur la route, personne dans les champs. Rien que le silence et la solitude. Ils marchent toujours sans rien dire. Remi est très malheureux; il voudrait bien parler, mais quand il pose une question, Vitalis ne lui répond que par quelques mots, et sans le regarder.

Mais Capi est un meilleur camarade, et plus d'une fois il pose son nez froid dans la main du garçon; par cela il veut dire à son petit maître:

—Tu vois, je suis là, moi Capi, moi, ton ami.

Alors Remi le caresse d'une main douce, et tous les deux sont un peu plus heureux.

Un matin Remi voit devant lui une ville immense; il la regarde avec une curiosité étonnée. A ce moment Vitalis vient se placer près de lui.

—Dans quatre heures, lui dit-il, nous allons être à Paris.

—Ah! c'est Paris que je vois au loin?

—Oui, continue son maître. Maintenant tout va changer pour nous; à Paris je vais te quitter.

Remi tourne vers Vitalis son visage pâle et triste.

—Te voilà inquiet, dit Vitalis.

—Me quitter! dit enfin Remi, avec effort.

—Pauvre petit!

Ce mot de sympathie fait monter les larmes aux yeux du petit garçon.

—Ah! vous êtes bon, crie Remi.

—C'est toi qui es bon, un bon petit; et Dieu sait que je t'aime bien, mon enfant.

—Alors, dit Remi, vous ne voulez pas m'abandonner dans Paris?

—Non, je ne veux pas t'abandonner, jamais, crois-le bien. Mais, tu sais qu'il est impossible de donner des représentations maintenant sans Joli-Cœur et les chiens. Voici ce que j'ai décidé de faire. Je vais te donner jusqu'au mois de mai à un de mes amis qui a un groupe d'enfants qui vont tous les jours dans les rues jouer de la harpe, ou du violon. Pour moi, je vais donner des leçons de harpe et de violon aux enfants italiens qui travaillent dans les rues. Je vais aussi acheter deux chiens pour prendre la place de Zerbino et de Dolce. Au mois de mai, nous allons recommencer à faire des voyages. Je vais te mener avec moi en Allemagne (*Germany*) et en Angleterre (*England*). C'est en vue de ces voyages que j'ai déjà commencé à te parler anglais: le français, l'italien, c'est déjà quelque chose pour un enfant de ton âge. Du courage, mon petit Remi, tu vois, tu vas être plus heureux.

Remi ne lui répond pas; il est trop triste, trop misérable; il ne pense qu'à une chose: la séparation.

Après mère Barberin, Vitalis.

Après Vitalis, un autre.

Toujours la séparation.

Jamais de père, jamais de mère à aimer pour toujours.

Toujours sans famille.

Mais le pauvre petit fait un grand effort pour ne pas pleurer. Son maître lui demande d'avoir du courage, et il ne veut pas le rendre plus malheureux.

Quelques heures après, la troupe entre dans Paris. Là, Vitalis cherche la maison de son ami, qui s'appelle Garofoli.

Il traverse les rues l'une après l'autre, toutes misérables; enfin il trouve la maison, et monte avec Remi et Capi. Sans frapper, il pousse la porte d'une chambre et entre. C'est une grande chambre sombre; au centre rien, mais tout autour il y a des lits.

—Garofoli, dit Vitalis, êtes-vous dans quelque coin? Je ne vois personne; répondez-moi, je vous prie; c'est Vitalis qui vous parle.

Une petite voix misérable, une voix d'enfant, lui répond:

—Le signor Garofoli n'est pas ici; il ne va rentrer que dans deux heures.

—Eh bien, s'il rentre avant, dites-lui que Vitalis va revenir lui parler dans deux heures.

—Dans deux heures, oui, signor.

—Reste ici, Remi, et repose-toi.

Et Vitalis sort de la chambre.

Remi regarde avec curiosité l'autre enfant; c'est un enfant de dix ou douze ans, au visage pâle et triste; il n'est pas beau, mais ses grands yeux ont une expression douce et tendre. Il se tourne vers Remi.

—Vous êtes du pays? lui dit-il.

—De quel pays?

—De l'Italie.

—Je suis Français.

—Ah, c'est bien. Si vous êtes Français, vous ne venez pas ici pour entrer au service du signor Garofoli.

—Il est méchant? demande Remi, inquiet.

L'enfant ne lui répond pas, mais il lui jette un regard éloquent. Puis il continue:

—Moi, je m'appelle Mattia. Le signor Garofoli est mon oncle. Mon père est mort, ma mère n'est pas riche. Voilà pourquoi je suis ici au service de mon oncle. Mais je suis très malheureux, et tous les autres enfants aussi. J'ai toujours froid; j'ai toujours faim; c'est pourquoi je suis si pâle, si malade. Et Garofoli est très cruel; si vous ne lui donnez pas tous les jours une certaine somme (*sum*) d'argent, il vous frappe avec un grand bâton (*stick*). Je voudrais bien être mort, ou dans un hôpital—je ne veux pas rester ici.

Pendant qu'il parle, il met (*sets*) la table pour le dîner. Remi ne dit rien; il reste dans un coin. Il a peur de tout dans cette chambre; il voudrait bien que Vitalis rentre vite. Il regarde le pauvre Mattia, et pense avec terreur à ce qui l'attend ici, s'il faut y rester.

Bientôt la porte s'ouvre et un enfant entre, un violon sous le bras; après cet enfant arrive un autre enfant, puis bientôt après, dix autres encore, avec leurs violons, leurs harpes, et leurs flûtes.

Enfin Remi entend un homme monter jusqu'à la chambre; il est sûr que c'est Garofoli. Inquiet, il regarde la porte, et il voit entrer un petit homme au visage rouge.

Il jette un regard sévère à Remi, et l'enfant a grand'peur.

—Qu'est-ce que c'est que[1] ce garçon? dit-il.

Mattia lui répète les mots de Vitalis.

—Ah! Vitalis est à Paris, dit-il, que me veut-il?

—Je ne sais pas, répond Mattia.

—Ce n'est pas à toi que je parle, c'est à ce garçon.

—Mon maître va venir, dit Remi, il va vous dire ce qu'il désire.

—C'est bien.

Deux enfants s'approchent de Garofoli; l'un prend son chapeau et le pose sur un lit; l'autre s'avance avec une chaise et lui présente sa pipe.

---

[1] Disregard *que.*

Le signor Garofoli s'assied et tourne la tête vers les autres garçons.

—Maintenant, mes enfants, dit-il, comptons notre argent. Mattia, le livre?

Mattia pose vite devant lui un petit livre noir.

Garofoli fait signe à un des enfants, qui s'approche de lui, tout pâle.

—Tu me dois un sou, Orlando. Où est-il? Combien me donnes-tu aujourd'hui?

Le malheureux enfant a peur, il tremble. Enfin:

—Je n'ai que dix-neuf sous, dit-il.

—Animal! Stupide! Alors c'est deux sous maintenant que tu me dois.—Mattia! le bâton.—Je vais te frapper quatre fois; et il n'y a pas de dîner pour toi, misérable garçon. Viens ici, petit brigand; tu préfères jouer et rire dans les rues au lieu de travailler; maintenant tu vas avoir du bâton!

Et il frappe le pauvre petit sur le dos.

—Maman! maman! crie l'enfant.

A ce moment la porte s'ouvre et Vitalis entre. Il jette un regard étonné à l'enfant, puis il court à Garofoli et lui prend son bâton.

—C'est un crime ce que vous faites là, lui crie-t-il, frapper un enfant sans défense. C'est une affaire qui concerne la police.

—La police, crie Garofoli, vous me menacez de la police, vous?

—Oui, moi! répond Vitalis.

—Ecoutez, Vitalis, dit Garofoli, qui se calme; si vous parlez à la police, moi, je vais parler aussi. Pas à la police, mais à d'autres que vos affaires intéressent encore plus. Si je leur dis ce que je sais, votre vrai nom, votre secret, qu'est-ce que vous allez faire?

Vitalis reste un moment sans répondre. Remi le regarde avec surprise. Puis Vitalis prend le garçon par la main.

—Viens avec moi.

Ils sortent tout de suite de la chambre de Garofoli, sans un mot.

Remi est si heureux de quitter Garofoli, d'être avec son bon maître, qu'il voudrait bien l'embrasser.

Vitalis marche quelques minutes en silence. Puis:

—Nous voilà encore une fois dans les rues de Paris, dit-il, sans un sou dans la poche et sans un morceau de pain à manger. As-tu faim?

—Oui, je n'ai rien mangé de[1] toute la journée.

—Eh bien! mon pauvre enfant, tu vas peut-être te coucher ce soir sans dîner; peut-être aussi sans lit.

—Où allons-nous?

—A Gentilly, répond Vitalis, trouver une vieille hutte abandonnée. Je suis très fatigué, mais—allons, mes enfants! et il prend le petit garçon par la main, et jette un regard à Capi, qui marche tout près de Remi.

Vitalis et Remi marchent très lentement dans le soir. Le pauvre garçon a froid, mais la main de Vitalis est très chaude.

—Vous êtes malade? lui demande Remi.

—Oui, je le crois; j'ai la tête lourde et je suis très fatigué. J'ai trop travaillé, j'ai trop marché pour mon âge, par[2] ces journeés d'hiver.

Ils marchent plus d'une heure, toujours lentement. Enfin le vieux Vitalis se tourne vers le garçon:

—Il faut bien que je me repose un peu, lui dit-il; il m'est impossible d'aller plus loin.

Et il se laisse tomber devant la porte d'un jardin.

[1] Disregard de.   [2] par, during; may be omitted in English.

—Assieds-toi tout près de moi, dit-il à Remi, et place Capi sur toi.

Puis le pauvre vieux embrasse le petit garçon et ne dit plus rien.

Remi a peur; dans la rue, personne; près de lui, au loin, tout autour de lui, un silence complet.

XII

LISE

Quand Remi se réveille, il est dans un lit; la flamme d'un grand feu jette une lumière sur la chambre. Il ne connaît pas cette chambre; il ne connaît pas les visages qui sont autour de lui: un homme qui porte des habits gris; une petite fille; trois autres enfants.

Remi lève la tête.

—Vitalis? dit-il.

—Il demande son père, dit une jeune fille, la plus âgée des enfants.

—Ce n'est pas mon père, c'est mon maître; où est-il? Où est Capi?

Alors l'homme aux habits gris lui raconte toute l'histoire. Cet homme est jardinier (*gardener*) et il se lève tous les jours vers deux heures du matin pour aller au marché. Ce matin, il a trouvé devant la porte de son jardin Vitalis, Remi, et Capi; Vitalis mort, Remi très, très malade. Il a vite appelé les agents de police, qui ont emporté Vitalis.

Un des enfants, une petite fille de cinq ou six ans, fixe sur Remi des yeux étonnés pendant que son père lui parle. Comme il finit son histoire, elle s'approche du pauvre garçon et pose sa petite main sur son bras, avec une sympathie instinctive.

—Mon bon maître, murmure Remi. Puis il demande:

—Et Capi?

—Capi!

—Oui, le chien?

—Il n'est pas ici.

75

—Il a quitté la maison avec les agents de police, dit un des enfants. Mais ne soyez pas inquiet; ils vont le ramener ici bientôt.

Alors la famille laisse Remi, qui se lève et prend sa harpe. Il ne sait pas où aller, il est abandonné maintenant; mais il sait qu'il faut quitter cette maison.

Il pousse la porte et sort de la chambre. Le jardinier et ses enfants sont assis devant une table et mangent une bonne soupe. Remi a bien faim, mais il ne veut pas demander à manger. La petite fille aux grands yeux le regarde. Bientôt elle se lève et lui offre son assiette (*plate*) de soupe.

—Accepte, mon garçon, dit le père; ce que Lise donne est bien donné.

Remi mange la soupe en quelques secondes. Lise, qui reste devant lui, sourit avec contentement, prend l'assiette, et la remplit de soupe chaude.

—Eh bien, mon garçon, dit le père, tu as grand'faim?

—Oh, oui, répond Remi, je n'ai pas dîné depuis deux jours.

—Et déjeuné?

—Pas déjeuné non plus.

—Et ton maître?

—Il n'a pas mangé plus que moi.

Le petit garçon n'a plus faim maintenant; il se lève et va vers la porte.

—Où vas-tu? dit le père.

—Dans les rues de Paris.

—Tu as des amis à Paris?

—Non, je n'y connais personne.

—Qu'est-ce que tu vas faire?

—Jouer de la harpe.

—Retourne dans ton pays, chez tes parents, mon enfant. Où demeurent tes parents?

—Je n'ai pas de parents.

—Tu dis que le vieux n'est pas ton père?

—Je n'ai pas de père.

—Et ta mère?

—Je n'ai pas de mère.

—Tu as bien un oncle, des cousins?

—Non, personne.

A ce moment Lise s'approche de Remi, sourit, le prend par la main, et lui montre sa harpe.

—Vous désirez que je joue?

Elle fait un signe de tête, et frappe des mains avec joie.

—Eh bien, oui, dit le père, joue-lui quelque chose.

Remi est très triste, mais il commence à jouer un gai morceau de musique. La petite Lise l'écoute avec joie. Son père ne la quitte pas des yeux. Quand Remi finit de jouer:

—Ecoute, mon garçon, lui dit-il; si tu veux rester avec nous, je veux bien te garder. Voici un coin du feu et un bon lit pour toi. Ici il faut se lever avant le jour et travailler dur toute la journée. Mais tu vas toujours avoir un lit et quelque chose à manger; et, si tu es un bon garçon, tu vas avoir en nous une famille.

Remi reste sans répondre, étonné de cette proposition. Lise le regarde de ses yeux doux.

A ce moment la porte s'ouvre et Capi saute dans les bras du garçon; le petit chien tremble de joie.

—Eh bien, dit le père, veux-tu rester?

—Et Capi?

—Oui, Capi reste avec toi.

Remi pose sa harpe dans un coin.

Maintenant, Remi, dit le père, viens avec moi chez le com- missaire (*commissioner*) de police. Le commissaire désire te poser quelques questions sur ton maître.

Le commissaire pose beaucoup de questions à Remi, et le garçon raconte tout ce qu'il sait de Vitalis et sa troupe, et aussi de mère Barberin et de Jérôme.

—Et qu'est-ce que vous allez faire maintenant? dit enfin le commissaire.

—Si vous me donnez la permission de le garder, ce garçon va rester chez nous, dit le père.

Le commissaire, touché de la proposition du jardinier (*gardener*), veut bien l'accepter. Puis il se tourne vers Remi:

—Vous dites que votre maître a des amis à Paris?

—Oui, un Italien qui s'appelle Garofoli.

—Eh bien, allez avec cet agent de police et montrez-lui où demeure cet homme.

Remi reconnaît la maison sans difficulté; et Remi, le jardinier, et l'agent de police montent à la chambre de Garofoli. Garofoli a peur quand il voit l'agent, mais il se calme bien vite quand il entend son message.

—Ah! le pauvre vieux est mort, dit-il.

—Vous êtes un de ses amis?

—Oui, je le connais depuis cinquante (*50*) ans.

—Eh bien, dites-moi son histoire.

—C'est bien simple. Son vrai nom n'est pas Vitalis, c'est Carlo Balzani. Toute l'Italie connaît ce nom, le nom d'un grand chanteur (*singer*), le plus fameux de l'Europe dans ses bonnes années. Mais quand il a cessé d'être le plus grand des artistes, il a caché son vrai nom à tout le monde. Il est mort sans amis, sans argent, à la tête d'une troupe de chiens—mais il n'a jamais profané le nom de Carlo Balzani.

—Pauvre Carlo Balzani!

—Mon pauvre maître Vitalis! se dit Remi, les larmes aux yeux.

XIII

JARDINIER

Le lendemain Remi ne se lève pas; il est très malade. Il reste trois semaines au lit et passe tout l'hiver sans sortir de la maison. Au bout de quelques semaines il connaît très bien toute la famille.

Le jardinier, le père de famille, s'appelle Pierre Acquin; il a quatre enfants: deux garçons, Alexis et Benjamin, et deux filles, Etiennette et Lise, la plus jeune de tous.

Depuis l'âge de quatre ans la petite Lise ne parle pas. Mais l'accident qui l'a laissée sans voix n'a pas affecté son intelligence. Son père, ses frères, et sa sœur l'adorent et font tout ce qu'elle désire.

La mère des enfants est morte; et c'est la petite Etiennette qui prend maintenant la place de la mère dans la famille. La jeune fille n'a que quatorze ans mais elle ne va pas à l'école. Elle ne quitte jamais la maison et travaille toute la journée avec patience. Son visage est triste et mélancolique mais ses yeux ont une expression douce.

Etiennette est très bonne pour Remi; mais quand elle est obligée de l'abandonner quelques minutes, Lise prend sa place et s'assied près du lit, pendant qu'elle fixe sur le pauvre malade ses grands yeux inquiets.

Remi reste plus de deux ans chez M. Acquin. Il travaille beaucoup dans le jardin avec les autres garçons; il passe des heures avec Lise, qu'il aime bien; il joue avec elle, il lui lit des histoires; tous les dimanches il joue de la harpe et, avec l'aide de Capi, il donne des représentations pour l'amusement de la famille.

Remi est très heureux. Plus d'une fois il se dit qu'il est trop heureux; que cela ne va pas continuer.

Hélas! les jours mauvais arrivent.

Un beau dimanche, toute la famille va en visite chez un ami du père, jardinier comme lui.

Les heures passent vite; vers le soir, le père, toujours inquiet pour son jardin, dit aux enfants:

—Regardez, mes enfants, un orage (*storm*) se prépare; rentrons vite à la maison.

—Déjà!

—Oui, dit M. Acquin; cet orage qui s'approche de nous est une menace pour le jardin. Viens avec moi, Benjamin, et toi aussi, Alexis! Courons!

Et tous les trois reviennent vite à la maison; Remi et les deux jeunes filles viennent après, plus lentement.

Quelques minutes après, une terrible averse de grêle (*hailstorm*) commence à tomber. En un instant la rue est couverte.

—Oh, mon Dieu! le jardin! crie Etiennette, les larmes aux yeux; si la grêle (*hail*) tombe sur le jardin, le pauvre père va être ruiné!

Bientôt ils arrivent à la maison et vont tout de suite au jardin.

Quel spectacle! de ce jardin si beau, si riche le matin, rien ne reste que des débris[1] de feuilles et de fleurs. C'est une ruine complète.

Le père, la tête dans ses mains, est assis au centre du jardin. Quand il entend s'approcher Etiennette et Lise, il lève la tête.

—Oh, mes pauvres enfants, crie-t-il.

Et il prend Lise dans ses bras et pleure.

C'est un désastre, et ses conséquences sont plus terribles encore.

[1] débris, fragments, remains, ruins. The word is used in English.

Le lendemain matin, à déjeuner, le pauvre père dit à ses enfants:

—Nous voilà bien malheureux! Qu'est-ce que nous allons faire? Je suis ruiné. Dans quelques jours je vais vous quitter; je vais aller en prison, parce qu'il m'est impossible maintenant de payer mes dettes (*debts*).

Il reste un moment en silence. Les enfants commencent à pleurer. Puis il continue, les larmes aux yeux:

—Oui, c'est bien triste, mes enfants. Rester cinq ans en prison, loin de vous! C'est terrible! Mais voici ce que j'ai décidé de faire pour vous. Je vais écrire (*write*) à ma sœur Catherine Suriot, à Dreuzy, et la prier de venir. C'est une femme qui sait toujours ce qu'il faut faire.

Tout ce que dit le père n'est que trop vrai. Huit jours après, les agents de police arrivent et mènent le pauvre M. Acquin en prison.

Une heure après, Catherine Suriot arrive. Elle a beaucoup de sympathie pour la malheureuse famille. Après un moment de réflexion elle appelle les enfants autour d'elle et leur dit ce qu'elle a décidé de faire.

—Lise va venir avec moi, à Dreuzy, dit-elle; Alexis va demeurer chez son oncle qui travaille dans les mines, à Varses, dans les Cévennes; Benjamin, chez un autre oncle, un jardinier à Saint-Quentin; et Etiennette chez une cousine qui demeure à Esnandes près de la mer.

—Et moi? dit Remi.

—Toi, tu n'es pas de la famille.

—Je voudrais bien travailler pour vous.

—Tu n'es pas de la famille.

—Oh! Remi est de la famille, disent tous les enfants.

Lise s'avance, et des mains et des yeux, elle prie Catherine de prendre Remi avec elle.

—Ma pauvre petite, lui dit Catherine, je voudrais bien faire ce que tu désires, mais c'est impossible.

Remi reste un moment en silence; puis il se tourne vers les enfants.

—Ecoutez, leur dit-il; je suis de votre famille, n'est-ce pas?

—Oui, tu es notre frère.

—Eh bien, voici ce que je veux faire. Je vais prendre ma harpe et faire des voyages avec Capi comme avant. Je vais aller de Saint-Quentin à Varses, de Varses à Esnandes, d'Esnandes à Dreuzy; je vais vous revoir tous.

Les heures passent vite; et le lendemain, à six heures du matin, les enfants partent (*leave*) en voiture. Remi regarde un moment la silhouette de Lise; puis la voiture tourne le coin de la rue.

Remi prend sa harpe, appelle Capi, et se rend à Paris.

XIV

REMI ET SA TROUPE

A Paris, Remi achète une carte (*map*) de France. Il voudrait bien donner une représentation tout de suite, mais il a peur de la police.

Il décide, alors, de sortir de Paris aussi vite que possible, par la route de Fontainebleau.

Comme il monte la rue Mouffetard, il croit reconnaître un enfant qui est assis devant une église.

Oui, c'est le petit Mattia, c'est bien le même visage pâle, les mêmes yeux tendres.

Remi s'approche du petit garçon et lui dit bonjour. Mattia le reconnaît tout de suite. Il sourit de joie.

—Ah, c'est vous? dit-il. Où est votre maître?

—Il est mort. Et Garofoli, est-il toujours votre maître?

Mattia regarde autour de lui avant de répondre; alors il dit à voix basse:

—Garofoli est en prison. Moi, je n'ai pas d'argent, je n'ai pas d'amis à Paris. Et je n'ai rien mangé de[1] toute la journée.

Remi sait ce que c'est que[1] d'avoir faim.

—Restez là, lui dit-il.

Il court vite au coin de la rue et achète un morceau de pain; bientôt il revient et l'offre à Mattia, qui se jette sur le morceau et le dévore.

—Maintenant, dit Remi, qu'allez-vous faire?

—Je ne sais pas.

—Il faut bien faire quelque chose.

[1] Disregard.

—Je ne voudrais pas vendre mon violon, parce que je l'aime bien, c'est ma joie et ma consolation.

—Alors pourquoi ne jouez-vous pas du violon dans les rues?

—J'ai joué tous les morceaux que je sais, mais personne ne m'a rien donné. Et vous, que faites-vous?

—Je fais un voyage avec ma troupe.

—Oh! j'ai une idée! dit Mattia.

—Qu'est-ce que c'est?

—Enrôlez-moi dans votre troupe!

—Mais voilà toute ma troupe, dit Remi; et il lui montre Capi.

—Eh bien, ne préférez-vous pas avoir une troupe de deux? Je vous en prie, ne m'abandonnez pas! Je voudrais bien travailler pour vous; je joue du violon, je danse, je chante (*sing*); je ne vous demande pas d'argent, quelque chose à manger, c'est tout. Si je suis méchant, frappez-moi, mais pas sur la tête, elle est trop tendre; Garofoli m'a trop frappé là.

Cela rend Remi très triste d'entendre le pauvre Mattia parler comme cela. Il voudrait bien le prendre dans la troupe.

—Avec moi, vous allez peut-être avoir faim plus d'une fois, lui dit-il.

—Oh, je n'ai pas peur d'avoir faim, je vais vous aider, et vous—vous allez m'aider aussi, n'est-ce pas?

—Eh bien! j'accepte, dit Remi. Venez avec moi comme camarade, comme ami. Allons, Mattia!

Et les deux garçons sortent de Paris. L'air est doux et chaud, les champs sont verts; le jour est calme et beau. Capi, tout joyeux, saute autour des enfants.

Où vont-ils?

Remi cherche à se décider. Qui va avoir sa première visite? Alexis, Etiennette? Ou la petite Lise?

Mais Remi pense aussi à une autre personne qu'il a toujours désiré revoir: mère Barberin. Le petit garçon n'a jamais cessé d'aimer cette excellente femme. Mais il ne lui écrit jamais parce qu'il a toujours peur de Barberin. Il ne veut pas retomber sous l'autorité de ce méchant homme. Remi a peur quand il y pense.

—Mais il n'est pas si dangereux de faire une visite à mère Barberin avec Mattia, se dit Remi.

Il décide alors de consulter la carte (*map*) pour choisir la meilleure route.

—Si vous le désirez, dit-il à Mattia, nous allons nous reposer un peu.

—S'il vous plaît, répond-il, je voudrais vous prier de me dire «*tu*.»

—Mais oui, je veux bien;[1] et toi aussi, n'est-ce pas?

Remi finit d'examiner la carte et se tourne vers Mattia.

—Montre-moi comment tu joues du violon, lui dit-il.

—Oh! je veux bien.

Et il prend son violon et commence à jouer.

Remi l'écoute avec surprise: Mattia joue aussi bien que Vitalis.

—Ah, tu joues très bien! lui crie Remi, je suis bien heureux de t'avoir dans ma troupe.

Maintenant il faut penser à travailler. Les deux garçons continuent leur chemin; bientôt ils s'approchent d'un petit village.

—Voici un bon petit village, dit Remi; allons-y.

Ils y entrent, mais ils ne voient personne dans les rues. Les habitants sont massés autour d'une grande maison; ils portent leurs beaux habits; ils parlent beaucoup, ils rient. Il est évident que c'est une noce (*wedding*).

---

[1] je veux bien, I am willing.

Remi ouvre la porte du jardin, et s'approche d'un grand garçon au visage rouge et placide. Il lui demande si la noce ne désire pas avoir des musiciens. Le garçon se tourne vers ses camarades.

—Ohé! les autres, crie-t-il, que pensez-vous d'un peu de musique? Voilà des artistes qui arrivent.

—Oui, oui, la musique! la musique! crient des voix d'hommes et de femmes.

—En place pour le quadrille![1]

—As-tu joué des quadrilles?[1] demande Remi à Mattia en italien.

—Oui, répond son ami.

Quelques minutes après, ce même grand garçon s'approche encore des musiciens avec un cornet à piston (*cornet*).

—L'un de vous sait-il jouer du cornet à piston? demande-t-il.

—Oui, moi, dit Mattia.

—Eh bien, prenez ce cornet à piston; parce que le violon est joli, mais il est impossible de l'entendre ici.

—Tu joues aussi du cornet à piston? demande Remi, étonné, à Mattia.

—Et de la trompette, et de la flûte, et de tous les instruments.

—Ah! mais il est précieux, Mattia, se dit Remi.

Les enfants jouent jusqu'au soir. Enfin une des femmes voit que Mattia est pâle et fatigué. Elle fait signe aux garçons de cesser de jouer.

—Les petits sont fatigués, dit-elle. Maintenant, la main à la poche pour les musiciens.

Remi jette son chapeau à Capi, qui le prend et s'approche

---

[1] quadrille, a square dance for four couples; also music for the dance.

bien alerte; tout le monde admire la grâce du petit chien et lui donne beaucoup d'argent.

Quelle fortune! mais ce n'est pas tout. La femme qui demeure dans cette maison invite les enfants à manger, et aussi à se coucher dans une grange (*barn*).

Le lendemain, ils quittent cette maison avec un capital de vingt-huit francs dans la poche.

—C'est à toi que je dois cet argent, mon petit Mattia, dit Remi à son camarade; avec toi, nous sommes un orchestre.

Avec une partie de cet argent Remi achète bientôt un vieux cornet à piston pour Mattia. Il[1] leur reste maintenant vingt-cinq francs.

Cette prospérité donne une idée (*idea*) au bon petit Remi.

Son plus grand désir, c'est d'aller chez mère Barberin, la revoir, l'embrasser. Maintenant qu'il est riche, il voudrait bien aussi lui porter quelque chose pour la rendre heureuse. Il sait qu'elle voudrait bien avoir une vache (*cow*).

Une vache pour prendre la place de Roussette.

Quelle joie pour mère Barberin, s'il lui donne une vache, et quelle joie pour lui!

—Oui, pense Remi, avant d'arriver à Chavanon je vais acheter une vache; et Mattia va la mener devant la porte de mère Barberin.

—Madame Barberin, va lui dire Mattia, voici une vache que je vous amène.

—Une vache! Oh! non, ce n'est pas pour moi, mon garçon.

—Oui, madame, vous êtes bien madame Barberin, de Chavanon? Eh bien! c'est chez madame Barberin que le prince m'a dit d'amener cette vache qu'il vous offre.

—Quel prince?

[1] il (impersonal), there.

Alors Remi va s'approcher, se jeter dans les bras de mère Barberin, et l'embrasser.

Mais avant de faire tout cela, il faut acheter une vache. Combien d'argent faut-il pour acheter une vache?

C'est bien simple de le demander. Mais quand Remi pose cette question, tout le monde rit de lui.

—Le petit musicien désire une vache, pas trop grande, une bonne vache. Désirez-vous qu'elle danse et saute aussi? Est-ce pour votre troupe?

—Il faut qu'elle donne du bon lait (*milk*) et qu'elle ne mange pas trop, répond Remi.

Enfin un homme voit que le petit garçon est sérieux.

—J'ai la vache que vous désirez, une vache douce, qui donne beaucoup de lait, et qui mange très peu. Une belle et bonne vache pour cent cinquante (*150*) francs!

Cent cinquante francs! Remi est bien loin d'avoir tout cet argent. Mais il est déterminé à le trouver et à acheter pour sa mère Barberin une vache, *la Vache du prince.*

XV

UNE LEÇON DE MUSIQUE

[In order to give them the time necessary to earn enough money to buy a cow, Remi and Mattia decide to pay a visit to Alexis at Varses before going to Chavanon. The boys travel about three months, stopping at all the large towns to give performances, and have 128 francs by the time they reach Varses, a mining town in the midst of the Cévennes. Alexis, who is working in the mines with his uncle, greets them gladly. Soon after their arrival Alexis injures his hand, and Remi offers to take his place in the mine. The second day the mine is flooded; and Remi, the uncle, and four other miners are imprisoned in a little shaft for fourteen days. After this narrow escape Remi, with his friends Mattia and Capi and a capital of 146 francs, sets out for Chavanon.]

La harpe sur l'épaule et le sac au dos, voilà Remi et Mattia encore une fois sur les grands chemins avec Capi, tout joyeux.

Ils cherchent l'argent nécessaire pour acheter une vache!

—Et moi, je veux t'aider, Remi, lui a dit Mattia; tu es mon frère maintenant, et mère Barberin est un peu ma mère aussi, n'est-ce pas?

Les deux garçons sont de très bons amis maintenant. Remi, qui voit que Mattia a un vrai talent pour la musique, passe quelques heures tous les jours à lui donner des leçons de musique. Il répète à Mattia tout ce que Vitalis lui a dit de la théorie de la musique.

Mais bientôt l'élève commence à embarrasser son maître par ses questions.

Quand Remi ne sait pas comment répondre à ces questions, il dit à Mattia:

—Cela est, parce que cela est.

Mais un jour, Mattia demande une autre réponse.

—Remi, dit-il à son ami, je voudrais bien acheter un livre de musique.

—Un bon maître sait tout ce qu'il y a dans les livres.

—Oui, c'est vrai; et tu es un bon maître, Remi. Mais ce que tu dis là m'amène à te parler d'autre chose: avec ta permission je voudrais bien aller demander une leçon à un vrai maître.

—Tu le désires beaucoup?

—Oui, mais je ne veux pas prendre ton argent.

—Oh, Mattia! mon argent est ton argent, parce que tu travailles aussi bien que moi. Tu vas avoir toutes les leçons que tu désires.

Ils décident, alors, de chercher un vrai maître de musique dans la première ville importante sur leur chemin. Cette ville est Mende.

La petite troupe traverse maintenant un pays bien misérable, sans bois, sans villages, couvert d'immenses solitudes. Enfin, à la grande joie de Mattia, ils arrivent à Mende.

Ils entrent dans une auberge, et demandent à l'aubergiste s'il y a dans la ville un bon musicien qui donne des leçons de musique.

—Ne connaissez-vous pas M. Espinassous?

—Non, nous ne sommes pas du pays; nous venons de l'Italie, répond Mattia.

—Eh bien, M. Espinassous est l'homme que vous cherchez. C'est un vrai artiste, et il reçoit tout le monde. Mais il faut avoir de l'argent dans la poche, dit-elle, pendant qu'elle examine des yeux la pauvre petite troupe.

Le lendemain, Remi et Mattia se rendent chez M. Espinassous. Quand ils arrivent devant sa maison, ils voient avec surprise que cet artiste est aussi un barbier (barber).

—Ce barbier-musicien n'est peut-être pas capable de te

donner une bonne leçon, dit Remi; mais Mattia ouvre la porte de la maison et y entre.

—Monsieur Espinassous? demande Mattia.

Un petit homme aux yeux gais lui répond:

—C'est moi.

—Monsieur, dit Mattia, nous avons une discussion, mon camarade et moi; et comme vous êtes un grand musicien, je voudrais bien avoir votre opinion.

Le petit homme sourit.

—Eh bien, jeune homme, lui répond-il; posez-moi vos questions.

Et Mattia les lui pose, l'une après l'autre; M. Espinassous répond à toutes les questions et si bien que Mattia est tout joyeux.

Mais enfin M. Espinassous est curieux aussi; il pose des questions à Mattia, et bientôt il sait que le garçon a l'intention de lui demander une leçon de musique.

Alors il commence à rire.

—Voilà de bons petits garçons, dit-il. Toi, le petit, je voudrais bien que tu me joues un morceau de musique.

Mattia prend son violon et joue une valse. Le maître l'applaudit.

—Et tu ne sais pas une note de musique! crie le barbier.

—Je joue aussi de la clarinette, et du cornet à piston, dit Mattia.

—Allons, joue, crie Espinassous.

Et Mattia joue des morceaux sur ces deux instruments.

—Ce garçon a un grand talent, crie Espinassous; si tu veux rester avec moi, je ferai[1] de toi un grand musicien!

Remi regarde Mattia. Que va-t-il répondre? Remi est très inquiet, mais il lui dit:

[1] je ferai: *fut.* faire, I shall make.

—Ne pense qu'à toi, Mattia.

Mais Mattia va auprès de Remi et lui prend la main:

—Quitter mon ami! Jamais! Je vous remercie, monsieur.

Espinassous insiste. Après sa première éducation chez lui, il l'enverra (*will send*) à Toulouse, puis à Paris; mais Mattia répond toujours:

—Quitter Remi, jamais!

—Eh bien, mon garçon, je veux faire quelque chose pour toi, dit Espinassous, je veux te donner un livre.

Il cherche partout dans la chambre; enfin il le trouve; c'est un vieux livre qui s'appelle «Théorie de la Musique.»

Il le donne à Mattia.

—Tu seras[1] un grand musicien, mon enfant; ce jour-là, rappelle-toi le vieux barbier-musicien de Mende.

[1] **tu seras:** *fut.* **être,** you will be.

XVI

LA VACHE DU PRINCE

Les jours passent, les semaines passent; enfin un soir quand les deux enfants comptent leur argent, ils trouvent qu'ils ont deux cent quatorze (*214*) francs; ils ont travaillé dur pour gagner (*earn*) cet argent.

Remi décide alors de se rendre à Ussel, où il y a un grand marché de vaches. C'est là qu'il a l'intention d'acheter cette fameuse vache.

La distance n'est pas longue du Mont-Dore à Ussel. Il faut deux jours aux garçons pour faire la route et, un beau matin, ils arrivent à Ussel.

Maintenant, comment choisir une vache? A quels signes reconnaître une bonne vache? Cela est grave. Mattia et Remi sont aussi ignorants l'un que l'autre.

Enfin ils décident de consulter un vétérinaire.

Le vétérinaire commence à rire quand les petits musiciens lui disent qu'ils désirent acheter une vache.

—Pourquoi voulez-vous une vache? leur dit-il. Nous n'avons pas de vaches qui dansent!

En quelques mots, Remi lui dit ce qu'il veut faire de cette vache.

Alors l'homme cesse de rire et leur dit:

—Vous êtes de bons garçons; je vais aller avec vous au marché et vous aider à choisir une bonne vache bien douce. Venez ici à sept heures du matin.

—Et combien d'argent est-ce que je vous dois, monsieur le vétérinaire?

—Rien; est-ce que je veux prendre de l'argent à de bons enfants comme vous!

Remi ne sait pas comment remercier cet homme si bon; mais Mattia a une idée.

—Monsieur, est-ce que vous aimez la musique? demande-t-il.

—Beaucoup, mon garçon.

—Merci, monsieur, au revoir.

—Tu veux donner un concert ce soir au vétérinaire, n'est-ce pas, Mattia? dit Remi.

—Oui, une sérénade, quand il est au lit.

A neuf heures, les musiciens sont devant la maison du vétérinaire, Mattia avec son violon, Remi avec sa harpe. Quand le vétérinaire entend la musique, il se montre à la fenêtre.

—Entrez dans le jardin, dit-il, je vais vous ouvrir la porte (*gate*).

La femme et les enfants du vétérinaire sortent aussi de la maison et écoutent la musique avec une grande joie.

Ils ne laissent pas partir (*leave*) les garçons sans leur donner quelque chose à manger. Remi et Mattia ne rentrent pas à l'auberge avant onze heures.

Le lendemain matin, les deux garçons vont trouver le vétérinaire qui les attend, et ils se rendent au marché.

Ah! les belles vaches! Il y a là des vaches de toutes les couleurs.

—Voici une bonne vache, dit Mattia, et il montre une vache blanche.

—Je crois que cette vache-ci est meilleure, dit Remi, pendant qu'il regarde une grande vache aux yeux doux.

Mais le vétérinaire va à une autre vache, une petite vache rouge, aux oreilles brunes.

—Combien voulez-vous vendre cette vache? demande-t-il à l'homme.

—Deux cent quatorze francs.

—Je la prends, dit Remi, tout joyeux; voici votre argent.

Il remercie le bon vétérinaire, et alors les enfants mènent leur vache à l'auberge.

Ils ont une vache maintenant mais ils n'ont plus d'argent, pas un sou pour acheter du pain.

—Allons travailler, dit Mattia.

Alors ils vont jouer dans les cafés et, le soir, quand ils rentrent à l'auberge, ils ont huit francs dans leur poche. Ils sont encore riches.

Le lendemain à cinq heures du matin, les voilà sur le grand chemin, en route pour Chavanon!

XVII

MERE BARBERIN

Les deux garçons approchent de Chavanon.

Voilà Remi encore une fois dans son pays et le petit garçon est si heureux qu'il danse de joie.

—N'est-ce pas un beau pays? dit-il à Mattia. Ah! tu vas voir!

—Oui. Et si tu viens en Italie, je vais te montrer aussi de belles choses.

Bientôt Remi voit devant lui le petit mur d'où il est possible de voir la maison de mère Barberin. Le petit garçon court et saute vite sur ce mur. Il regarde au loin.

—Là! là! crie-t-il.

—Que vois-tu? dit Mattia.

—Viens vite, Mattia! Regarde! là, derrière un groupe d'arbres, voilà la maison de mère Barberin! voilà mon petit jardin!

L'émotion du garçon est si grande que les larmes remplissent ses yeux. Il embrasse Mattia. Capi se jette sur lui; Remi le prend dans ses bras et l'embrasse aussi.

—Descendons vite, dit-il.

—Si mère Barberin est chez elle, comment allons-nous arranger notre surprise? demande Mattia.

—Tu vas entrer, tu vas lui dire qu'un prince t'a dit de lui amener une vache; elle va te demander: «Quel prince?» alors je vais courir à elle.

Mais un peu plus près de la maison, les garçons voient une robe bleue dans le jardin: c'est mère Barberin; elle sort sur la route et se rend au village.

—Qu'allons-nous faire maintenant? dit Mattia.

—Inventer une autre surprise.

Bientôt ils arrivent à la maison, et ils mènent leur vache à l'étable (*stable*). Puis ils entrent dans la maison.

—Maintenant, dit Remi, attendons mère Barberin. Je vais rester ici, au coin du feu; et toi, cache-toi derrière le lit avec Capi; comme cela, elle ne va voir que moi.

De son coin Remi regarde autour de la chambre, les larmes aux yeux; rien n'est changé, tout est à la même place.

A ce moment Remi voit la robe bleue devant la maison.

—Cache-toi vite, dit-il à Mattia.

Mère Barberin ouvre la porte et voit le garçon.

—Qui est là? dit-elle.

Remi la regarde sans répondre. Elle le regarde aussi.

—Mon Dieu, murmure-t-elle, mon Dieu, est-ce possible, Remi!

Remi se lève, court à elle, et se jette dans ses bras.

—Maman!

—Mon garçon, c'est mon garçon!

Après un moment Remi se rappelle que Mattia est derrière le lit. Il l'appelle.

—Voilà Mattia, dit-il, mon frère.

—Ah, tu as retrouvé tes parents? crie mère Barberin.

—Non, c'est mon camarade, mon ami. Et voilà Capi, mon camarade aussi et mon ami.

A ce moment Mattia fait signe à Remi pour lui rappeler leur surprise.

—Si tu veux, dit Remi à mère Barberin, allons un peu dans le jardin; je veux le montrer à Mattia.

—Oh, oui, répond-elle, et ton petit coin—l'arrangement des fleurs est toujours le même.

—Et l'étable (*stable*) est-elle changée?

Ils passent à ce moment devant la porte de l'étable. Mère Barberin pousse la porte et voit la vache.

—Une vache, une vache dans l'étable! crie-t-elle, étonnée.

Remi et Mattia crient, tout joyeux:

—C'est une surprise, une surprise!

—Une surprise! répète-t-elle. Oh! le bon enfant, le bon garçon! Et elle prend Remi dans ses bras et l'embrasse.

Alors elle examine la vache—sa vache maintenant—et elle n'a que des exclamations de joie et d'admiration!

—La belle vache! Le bon garçon!

Puis elle pense à Mattia; et elle répète son refrain, mais pour lui aussi cette fois:

—Ah! les bons garçons!

Enfin ils rentrent dans la maison où mère Barberin prépare un bon dîner pour les petits garçons.

Mais Remi est inquiet.

—Où est Barberin? demande-t-il enfin.

—Il est à Paris.

—Et va-t-il revenir bientôt?

—Oh! non, bien sûr.

Après le dîner Mattia sort de la maison pour voir la vache.

—Maintenant, dit mère Barberin, j'ai une grande surprise pour toi, Remi.

—Qu'est-ce que c'est?

Mère Barberin sourit.

—Tu as une vraie famille, qui te cherche, mon enfant.

—Moi? j'ai une famille, mère Barberin, moi, l'enfant abandonné!

—Ta famille ne t'a pas abandonné, je crois, parce que maintenant elle te cherche.

—Qui me cherche? Oh! mère Barberin, parle, parle vite,

je te prie! Mais non, c'est impossible, c'est Barberin qui me cherche.

—Oui, c'est lui que te cherche, mon enfant, mais pour ta famille. Un jour un homme entre dans la maison et demande à Jérôme: «C'est vous qui avez trouvé un enfant à Paris, avenue de Breteuil?» «Oui,» répond Jérôme. «Où est cet enfant maintenant, savez-vous?» «Je ne sais pas,» répond Jérôme; «j'ai laissé l'enfant avec un certain Vitalis.» «Eh bien, il faut le retrouver, parce que ses parents le cherchent.» Et l'homme donne à Jérôme beaucoup d'argent. Jérôme est maintenant à Paris où il te cherche. Il a l'adresse de Vitalis à Paris—chez un autre musicien, Garofoli. Et il te cherche toujours, je crois.

A ce moment, Mattia rentre dans la maison. Remi l'appelle.

—Mattia, mes parents me cherchent! j'ai une famille, une vraie famille!

XVIII

REMI CHERCHE SA FAMILLE

Le lendemain matin Remi consulte mère Barberin. Il ne sait que faire maintenant.

—Il faut aller tout de suite à Paris, dit mère Barberin; tes parents te cherchent; ne retarde pas leur joie.

—Alors nous allons partir (*leave*) pour Paris, Mattia, dit Remi.

—Mais, dit Mattia, ne penses-tu plus à Lise, à Etiennette, et aux autres, qui t'aiment bien? As-tu l'intention d'aller à Paris sans faire visite à Lise?

—C'est vrai, dit Remi; la petite Lise m'attend; nous allons passer par Dreuzy pour la voir. Mais nous n'allons pas aller voir Etiennette, parce que c'est un trop long détour.

—Bon, dit Mattia.

Et le lendemain, une fois encore, Remi est obligé de dire au revoir à mère Barberin.

—Mais je vais revenir bientôt te voir avec mes parents, lui dit-il; et, s'ils sont riches, tu ne vas plus être pauvre, mère Barberin.

Les voici encore une fois sur les grands chemins, Remi, Mattia, et Capi. Remi, impatient, voudrait bien marcher très vite, mais Mattia proteste:

—Ne marche pas si vite maintenant, lui dit-il, ou tu vas être bientôt fatigué.

Alors Remi consent à marcher plus lentement.

Ils n'ont que peu d'argent, et pour acheter du pain il faut jouer dans tous les grands villages qu'ils traversent sur leur route. Remi veut aussi avoir de l'argent pour acheter un

autre présent—quelque chose de beau pour rendre heureuse
la petite Lise. Tous les soirs ils comptent leur argent, et enfin,
à Decize, ils achètent une grande poupée (*doll*) pour porter
à cette bonne petite.

De Decize à Dreuzy la distance n'est pas grande. Leur
chemin les mène près d'un canal tranquille. Remi regarde les
bateaux et pense aux heures heureuses qu'il a passées sur le
Cygne, avec madame Milligan et Arthur. Où est maintenant
le *Cygne?* C'est la question que Remi se pose toujours quand
il voit un canal. De ses yeux anxieux Remi cherche ce bateau.

—Où sont madame Milligan et Arthur? se demande-t-il.
Sont-ils encore en France? Ou, ce qui est plus probable, sont-
ils à présent en Angleterre (*England*)? Ne va-t-il jamais les
revoir, ces bons amis?

Un soir, à six heures, Remi et Mattia arrivent à Dreuzy.
Catherine Suriot et M. Suriot demeurent tout près du canal,
et les garçons trouvent bientôt la maison.

Ils s'approchent tout près et restent un moment devant la
fenêtre.

—Ils sont à table, dit Mattia, c'est le bon moment.

Mais Remi lui fait signe de ne pas parler. Puis il prend sa
harpe et commence à jouer. Quand les notes de la harpe frap-
pent les oreilles de la petite Lise, elle lève la tête et écoute
avec attention.

Puis Remi commence à chanter (*sing*). Alors Lise saute de
sa chaise et court vers la porte; elle sort de la maison et se
jette dans les bras de son ami.

Les enfants entrent dans la maison où Catherine Suriot les
embrasse et les invite à manger. A table, Remi se tourne vers
elle:

—Si vous voulez bien, lui dit-il, nous avons une petite
camarade avec nous.

Et il pose la poupée (*doll*) sur une chaise près de Lise.

La petite fille, bien heureuse, jette des regards doux et tendres sur son ami pour le remercier.

Remi passe quelques jours à Dreuzy. Il a beaucoup à raconter à Lise. Mais la chose la plus importante, c'est qu'il a une famille. Ses parents le cherchent; il a peut-être des parents riches; et s'ils sont riches, il veut aider le pauvre père de Lise, qui est toujours en prison. Tout cela remplit la petite fille de joie, et les deux enfants sont très heureux.

Riche! Remi croit l'être déjà!

Quand le moment de partir arrive, Remi dit au revoir à Lise, et, sincère dans son illusion, la quitte avec ces mots:

—Attends-moi, Lise. Je vais revenir ici te chercher dans une belle voiture à quatre chevaux.

Mais avant de faire un voyage de Paris à Dreuzy en voiture, il faut marcher de Dreuzy à Paris.

Remi est maintenant très impatient; il ne veut pas passer des journées à jouer dans les villages.

—Il faut déjeuner et dîner, oui, dit-il, mais pourquoi avoir trop d'argent dans la poche? Je ne veux pas porter d'argent à mes riches parents!

Mais Mattia ne désire pas arriver à Paris sans argent.

—Travaillons aussi bien que possible, dit-il. Qui sait si nous allons trouver Barberin tout de suite?

—Oh, c'est stupide ce que tu dis, nous n'allons pas avoir de difficulté à le trouver.

—Mais s'il n'est plus à Paris, s'il est à Chavanon? Qu'est-ce que nous allons faire alors, si nous n'avons pas d'argent? Je ne veux pas avoir faim à Paris.

Enfin Remi fait ce que Mattia désire; et quand ils entrent dans Paris après leur long voyage, ils ont un peu d'argent dans leur poche.

Remi décide d'aller tout de suite à l'adresse d'un homme qui connaît Barberin; c'est peut-être chez lui qu'il va trouver Barberin.

Cet homme s'appelle Chopinet. Remi trouve son restaurant sans difficulté; il entre et, pendant que l'homme prépare la soupe, il lui pose quelques questions.

—Barberin? répond-il au garçon; il n'est plus ici.

—Et où est-il? demande Remi, inquiet.

—Ah! Il ne m'a pas laissé son adresse.

Remi ne dit rien; il ne sait que faire. Mais un des hommes qui mangent à une table près de Remi écoute cette conversation.

—C'est Barberin que tu cherches, mon petit? dit-il.

—Oui, monsieur.

—Eh bien, je crois qu'il est maintenant à l'hôtel du Cantal, rue d'Austerlitz.

Remi remercie l'homme, et sort du restaurant avec Mattia et Capi.

Ils vont à l'hôtel du Cantal, une petite maison misérable. Une vieille femme les reçoit.

—Est-ce que Barberin demeure ici? lui demande Remi.

Elle pose sa main derrière son oreille.

—Voulez-vous répéter? Je n'entends pas très bien.

—Je voudrais voir Barberin, Barberin de Chavanon; il est ici, n'est-ce pas?

La femme lève les deux bras en l'air, et regarde Remi avec des yeux étonnés.

—Ah! mon Dieu! dit-elle; êtes-vous le garçon?

—Quel garçon?

—Un garçon qui s'appelle Remi.

—Oui, je suis Remi. Mais où est Barberin?

—Le pauvre Barberin! Il est mort.

—Mort! Barberin est mort!

—Oui, il est mort à l'hôpital Saint-Antoine.

C'est un désastre terrible pour le petit garçon.

—Alors vous êtes le garçon qui a des parents riches? continue la vieille femme.

—Qu'est-ce qu'il vous a dit? demande Remi.

—Il m'a raconté l'histoire d'un enfant trouvé qui s'appelle Remi, et de parents riches qui le cherchent partout.

—Et le nom de cette famille, le nom de mon père, crie Remi; je vous prie, madame, dites-le-moi.

—Mais il ne m'a pas dit cela, mon garçon.

—Où demeure cette famille?

—C'est une famille anglaise. Mais Barberin ne m'a jamais beaucoup parlé de cette famille ... pour avoir toute la récompense, je crois.

—Barberin a peut-être dit quelque chose à un de ses amis.

—A ses amis? Il n'a pas d'amis.

Remi ne trouve plus rien à dire; il ne sait plus que faire.

—Si vous n'avez pas d'hôtel, lui dit la vieille femme, pourquoi ne restez-vous pas ici? C'est un hôtel tranquille. Et si vos parents vous cherchent, c'est ici qu'ils vont venir; c'est un avantage, alors, d'être ici.

—Oui, dit Mattia, s'il est vrai que tes parents ont trouvé Barberin, ils vont être inquiets de son silence et ils vont le chercher à cet hôtel-ci; restons ici alors.

—Combien demandez-vous pour une chambre pour mon ami et moi?

—Dix sous pour une petite chambre.

—Eh bien, nous restons.

Le lendemain Remi écrit (*writes*) à mère Barberin, et lui raconte toute l'histoire de son pauvre Jérôme.

Il va aussi à la prison pour dettes (*debts*) revoir M. Acquin et lui raconter sa visite chez Lise.

Remi et Mattia restent trois jours à l'hôtel du Cantal. Ils jouent tous les jours dans les cafés de Paris; quand ils rentrent le soir, la femme de l'hôtel répond toujours aux questions de Remi: «Il n'y a pas de lettre pour vous ou pour Barberin.» Mais enfin elle lui donne une lettre.

C'est la réponse de mère Barberin. Remi trouve aussi dans la lettre quelques mots de Barberin à sa femme.

—Vite! Vite! crie Mattia, lis la lettre de Barberin. Et Remi ouvre la lettre:

«MA PAUVRE FEMME:

«Je suis à l'hôpital, très malade. Si je ne me relève pas, il y a deux choses à faire: trouver Remi, et écrire (*write*) à Greth et Galey, Greensquare, Lincoln's-Inn, à Londres (*London*); ces personnes-là cherchent Remi pour sa famille. Demande beaucoup d'argent à sa famille; cet argent t'est très nécessaire maintenant. Pour trouver Remi, écris à M. Acquin, qui est à présent à la prison de Clichy à Paris.

«Je t'embrasse.

«BARBERIN.»

Comme Remi finit de lire, Mattia saute de sa chaise.

—En route pour Londres! crie-t-il.

—Pourquoi? demande Remi, étonné.

—Parce que la lettre de Barberin dit que les hommes qui te cherchent sont des Anglais, continue-t-il; cela signifie, n'est-ce pas, que tes parents sont Anglais?

—Mais ...

—Ne veux-tu pas être Anglais?

—Je voudrais bien être Français, comme Lise. Mais si je

suis Anglais, je suis du même pays qu'Arthur et madame Milligan!

—Mais il est certain que tu es Anglais. Et parce que tu es Anglais, il faut aller en Angleterre (*England*).

En deux minutes Remi décide d'accepter la proposition de Mattia.

—En route pour Londres! crie-t-il. En route pour l'Angleterre!

XIX

MADAME MILLIGAN

[Remi, Mattia, and Capi walk from Paris to Boulogne, and there take passage on a ship to London. On reaching London, they go to the address of the law firm mentioned in Barberin's letter; the lawyer in charge sends them to Remi's family, in Red Lion Court. Here amid miserable, squalid surroundings Remi meets his father and mother, brothers and sisters— the Driscoll family. Soon queer things begin to happen; mysterious goods arrive in the middle of the night; an attempt is made to take Capi from Remi to train him to steal. It is evident that the family is a gang of thieves. Mattia has suspected for some time that the Driscolls are not the real parents of Remi; and his suspicions are strengthened when he overhears a conversation between Driscoll and James Milligan. Both Remi and Mattia fear that James Milligan is plotting harm to Arthur, his nephew. At this point misfortune comes to Remi; Capi is found in a church which is being robbed, and Remi is arrested as his owner. But Mattia, with the aid of a friend, helps Remi to escape, and they get away to France. Here they decide to find Mrs. Milligan to tell her of the possible danger threatening Arthur.]

Où aller maintenant? Par quelle route? C'est la question que Remi pose à Mattia.

—Pour moi, dit Mattia, je n'ai pas de préférence, je ne demande qu'une chose.

—Et qu'est-ce que c'est?

—Marcher sur les routes qui passent près d'une rivière ou d'un canal.

—Pourquoi?

—Parce que si madame Milligan est en France à présent, nous allons la trouver en bateau sur une rivière ou un canal.

—Pourquoi penses-tu que le *Cygne* est en France?

—Parce que le *Cygne* ne va pas sur la mer, il n'a pas quitté

la France. Alors, nous avons des chances de le trouver. Quelle
est la rivière le plus près d'ici?

Remi regarde la carte (*map*).

—C'est la Seine, répond-il.

—Eh bien! Commençons par la Seine, cherchons le *Cygne*,
dit Mattia.

Les petits musiciens arrivent à la Seine, et la remontent
(*go up*). Ils sont obligés de donner quelques représentations,
ce qui prolonge leur voyage. Ils ne voient jamais le *Cygne;*
ils ne trouvent pas madame Milligan.

Enfin à Charenton pour la première fois, ils trouvent un
homme qui sait quelque chose du *Cygne.*

—Oui, dit-il, un bateau a passé ici, le bateau que vous
cherchez, je crois; un bateau comme une petite maison, avec
une véranda, n'est-ce pas?

—Oh, oui, monsieur!

—Eh bien, continuez à remonter (*go up*) la Seine, et
marchez vite; le bateau a une avance d'un mois sur vous.

Remi et Mattia remercient l'homme, et continuent leur
chemin, tout joyeux. Le *Cygne* est là, en France.

A Moret, le Loing se jette dans la Seine, et les garçons sont
encore obligés de poser des questions.

Le *Cygne* a remonté la Seine.

Mais à Montereau un homme leur dit que le *Cygne* a
abandonné la Seine pour l'Yonne.

—C'est un beau bateau qui porte une dame anglaise et un
jeune garçon malade, dit-il.

La petite troupe s'approche de Dreuzy et de Lise maintenant. A la grande joie de Remi, la bateau a passé par le canal
du Nivernais. Maintenant il va revoir Lise, lui parler peut-
être de madame Milligan.

Mais à Dreuzy une surprise attend les petits artistes. Ils

s'approchent de la maison et voient un homme qui travaille dans le jardin; mais ce n'est pas l'oncle de Lise.

Remi va jusqu'à la maison. Une femme qu'il ne connaît pas s'approche de lui:

—Où est madame Suriot? lui demande-t-il.

—Elle n'est plus ici.

—Et où est-elle?

—En Egypte.

Remi regarde Mattia avec des yeux étonnés.

—Et Lise? Vous connaissez Lise?

—Oui, Lise est en bateau avec une dame anglaise.

Lise sur le *Cygne!* Une belle surprise pour Remi!

—Etes-vous Remi? lui demande la femme.

—Oui.

—Eh bien, voici l'histoire. M. Suriot est mort dans un accident. Catherine trouve une position en Egypte. Elle veut l'accepter mais elle ne sait que faire de la petite Lise. Un soir, une dame anglaise passe en bateau devant la maison. Son petit garçon est malade. Elle cherche un enfant pour jouer avec sons fils. La dame anglaise parle avec Catherine et lui demande de lui donner Lise. Catherine accepte, parce que la dame est bonne et douce.

—Et la dame anglaise, où est-elle? demande Mattia.

—Dans le midi (*south*) de la France ou en Suisse (*Switzerland*).

—Nous vous remercions bien, madame, dit Mattia.

Maintenant les deux garçons passent de dures semaines. Ils marchent toujours vite; il se couchent à dix heures du soir et se lèvent à cinq heures du matin.

Ils continuent leur chemin près du canal du Nivernais, puis près du canal du Centre jusqu'à la Saône; puis ils descendent la Saône jusqu'à Lyon.

C'est là qu'une difficulté sérieuse se présente. Le *Cygne* remonte-il le Rhône en ce moment, ou est-ce qu'il le descend? En un mot, madame Milligan est-elle en France ou en Suisse?

Remi et Mattia questionnent tous les hommes qu'ils voient sur les quais; enfin ils sont sûrs que madame Milligan est en Suisse.

—Remontons le Rhône, alors, dit Mattia.

Mais Remi et Mattia ne savent pas que le Rhône n'est pas navigable jusqu'au lac (*lake*) de Genève, en Suisse.

Ils arrivent enfin à Seyssel, et descendent près de la rivière. Quelle est la surprise de Remi, quand il croit reconnaître au loin le *Cygne!*

Remi, Mattia, et Capi courent vite vers le bateau. C'est bien lui; mais il n'y a plus de chevaux; il n'y a plus de fleurs sur la véranda; il n'y a plus personne.

Où est madame Milligan? Où sont Arthur et Lise?

Les enfants restent immobiles, inquiets. Enfin, ils retrouvent un peu de courage, et s'approchent du bateau. A ce moment, ils voient un homme qui les regarde.

—Qui cherchez-vous? demande-t-il.

—Madame Milligan.

—La dame anglaise, avec son garçon malade et une petite fille, est en Suisse. Elle a abandonné son bateau, parce que le Rhône n'est pas navigable plus loin. La dame et ses deux enfants ont continué leur chemin en voiture.

—Et où est cette dame à présent? demande Mattia.

—Elle est au lac de Genève où elle va passer quelques mois près de Vevey.

En route pour Vevey! Remi et Mattia ne sont plus inquiets à présent; ils sont sûrs de retrouver bientôt madame Milligan; il n'y a qu'à chercher.

Quatre jours après, ils arrivent à Vevey. Les enfants sont

enchantés des bois verts, des belles fleurs, et du lac bleu qui leur sourit.

Mais Vevey n'est pas un petit village; c'est une ville avec beaucoup de petits villages autour. Comment vont-ils trouver madame Milligan? Il y a beaucoup d'Anglais qui demeurent à Vevey.

Il faut alors chercher et visiter toutes les maisons où demeurent des Anglais: en réalité, la difficulté n'est pas bien grande, ils n'ont qu'à jouer et à chanter dans toutes les rues.

Ils posent les mêmes questions à tout le monde, mais personne ne sait rien de madame Milligan et de ses deux enfants. Ils passent des jours à marcher de village en village, mais en vain; ils ne trouvent pas leurs amis.

Le courage de Remi ne l'abandonne jamais.

—Nous les trouverons[1] un autre jour, dit-il tous les soirs à Mattia.

Un jour les deux amis donnent un concert devant une maison; derrière la troupe il y a un mur.

Mattia joue de son violon, pendant que Remi chante. Comme Remi finit de chanter, ils entendent de derrière le mur une voix qui répète la chanson (*song*) de Remi.

—Qui est là?

Capi donne des signes de joie et cherche à sauter sur le mur, mais Remi ne reconnaît pas cette voix.

—Qui est-ce qui chante? crie-t-il.

Et la voix répond: «Remi!»

Son nom au lieu d'une réponse! Remi et Mattia n'attendent plus, ils entrent vite dans le jardin qui est derrière le mur. Là, à leur grande surprise, ils voient—Lise!

—Mais qui a chanté? Qui a parlé? lui demandent-ils.

—Moi, dit-elle.

[1] nous trouverons: *fut.*, we shall find.

Lise chante! Lise parle! Il est vrai que les médecins ont toujours dit à ses parents: «Ne soyez pas inquiets. Lise parlera[1]; et peut-être sous la secousse (*shock*) d'une violente émotion.»

Et voilà qu'elle parle! Et c'est Remi qui lui a donné cette violente émotion!

Entendre la voix de son ami, quand elle a pensé ne jamais le revoir!

Oh! la joyeuse petite fille! le joyeux garçon!

—Où est madame Milligan? demande Remi; où est Arthur?

Mais à ce moment il voit madame Milligan, qui entre dans le jardin. Remi court à elle; et elle le prend dans ses bras et l'embrasse avec beaucoup d'émotion.

—Mon pauvre enfant! dit-elle.

Elle pose sa main sur la tête du garçon, et le regarde quelques minutes.

—Oui ... oui ... murmure-t-elle.

Remi ne sait pas pourquoi elle ne le quitte pas des yeux, pourquoi elle répète ces mots, mais il est si heureux de revoir ses amis qu'il ne pense pas à autre chose.

—Mon enfant, lui dit-elle, tu arrives ici à un moment grave. Dans quelques jours je vais peut-être avoir des choses très importantes à te dire. Mais il faut consulter des personnes capables de me guider. A présent, considère-toi comme le camarade, comme l'ami, ... comme le frère d'Arthur. Qui est ton ami?

—C'est Mattia, mon camarade, le meilleur ami du monde.

—Eh bien, toi et ton jeune ami, vous allez abandonner maintenant votre misérable existence. A présent, mes enfants, allez avec une de mes servantes à l'hôtel des Alpes. Je vais venir te voir à l'hôtel, mon petit Remi, mais maintenant je suis obligée de te quitter.

[1] **elle parlera:** *fut.*, she will speak.

Et elle embrasse encore le petit garçon, les larmes aux yeux, et sort du jardin.

Remi est très étonné de tout cela, mais il fait tout de suite ce que madame Milligan lui a dit de faire; et bientôt les deux garçons arrivent à l'hôtel des Alpes.

Ils ne portent que leur misérable costume de musicien des rues, mais le maître d'hôtel leur sourit et dit à un domestique de les mener tout de suite à une chambre. Là, ils mangent un très bon dîner.

Le lendemain madame Milligan vient voir Remi et son camarade; elle leur achète de beaux habits.

—Lise parle toujours, dit-elle à Remi, pas très bien encore, mais le médecin m'assure qu'elle va parler comme tout le monde dans quelques semaines.

Madame Milligan passe une heure avec les enfants; puis elle embrasse Remi et les quitte.

Remi et Mattia restent quatre jours à l'hôtel; madame Milligan vient les voir tous les jours; et elle est plus tendre pour Remi de jour en jour.

Enfin, une servante de madame Milligan vient chercher les garçons; elle leur dit que madame Milligan les attend chez elle. Une voiture est à la porte de l'hôtel; Remi, Mattia, et Capi montent dans la voiture et se rendent chez madame Milligan.

La distance n'est pas grande, et bientôt Remi entre dans une belle chambre où il trouve madame Milligan, Arthur, et Lise.

Remi se jette dans les bras d'Arthur; puis il embrasse Lise, mais c'est madame Milligan qui embrasse le garçon.

—Enfin, lui dit-elle, c'est l'heure de te rendre ta vraie place dans le monde, de te rendre ta famille.

Pendant que Remi la regarde avec des yeux étonnés, elle

ouvre la porte, et il voit entrer mère Barberin. Elle porte dans ses bras les habits d'un enfant, qu'elle pose sur une table.

Remi, tout joyeux, va à elle, la prend dans ses bras et l'embrasse.

—Oui, mon petit Remi, continue madame Milligan, tu es mon enfant, tu es mon fils, Arthur est ton jeune frère. Un Anglais, un méchant homme, t'a emporté loin de moi, à l'âge de six mois. Cet homme est en prison; il a tout confessé; il raconte toute l'histoire dans cette lettre. Tu es mon fils; il n'y a pas d'erreur possible. Viens m'embrasser, mon enfant; tu as enfin une famille; Mattia et Lise vont rester toujours avec toi, et la bonne mère Barberin aussi, si elle le veut bien. Nous allons être tous heureux, en famille.

[The story ends happily, now that Remi has found his family. He and Mattia grow up and go to school together. Mattia becomes a famous violinist. Lise, whose voice develops normally, is brought up with Remi; and they are later married. Arthur, who regains his health, marries Christine, a sister of Mattia. Mère Barberin comes from France to be foster-mother to Remi's first child, little Mattia, just as she was once to Remi. Lise's family is doing well. All that Remi regrets is that he could not have helped Vitalis, poor Carlo Balzani, the master of his childhood days, whom he will never forget.]

COMPREHENSION EXERCISES

CHAPTER I

Answer the following questions:

1. Où demeure Remi? 2. Pourquoi croit-il que mère Barberin est sa mère? 3. Où travaille Jérôme Barberin? 4. Est-ce que sa femme reçoit de l'argent de Jérôme? 5. Qui arrive un jour de novembre chez mère Barberin? 6. Que lui dit-il? 7. Pourquoi ne va-t-elle pas à Paris? 8. Qu'est-ce que Jérôme lui demande toujours? 9. Que fait-elle enfin quand elle n'a plus d'argent? 10. Quelle surprise prépare-t-elle pour Remi le mardi gras? 11. Qui arrive chez elle ce jour-là? 12. Que dit-elle à Remi quand elle le pousse vers cet homme?

CHAPTER II

Complete the following statements:

1. Remi a peur de Barberin parce que ____. 2. Barberin demande à sa femme de lui préparer ____. 3. Le petit garçon ne veut rien manger parce que ____. 4. Remi se lève de table et va ____. 5. Mère Barberin n'a pas porté Remi aux Enfants trouvés parce que ____. 6. Les affaires de Barberin ne marchent pas bien parce que ____. 7. Remi a maintenant ____ ans. 8. Remi sait maintenant que mère Barberin n'est pas sa vraie ____. 9. Quand Barberin sort de la maison, mère Barberin raconte à Remi l'histoire de ____. 10. Un matin à Paris, ____ trouve un enfant. 11. Il pense que les parents de l'enfant sont riches parce que ____. 12. Les parents vont peut-être donner ____ à la personne qui a trouvé leur petit garçon. 13. Remi est très malheureux parce qu'il ne veut pas aller ____.

CHAPTER III

Answer the following questions:

1. Où Barberin va-t-il le lendemain avec le garçon? 2. Que veut-il faire? 3. Où entre-t-il? 4. Qui est assis dans un coin? 5. Quels animaux y a-t-il près de cet homme? 6. Qu'est-ce que le vieux propose à Barberin? 7. Quel est le premier membre de la troupe de Vitalis? 8. Que font Capi et Zerbino pendant que Dolce danse? 9. Quel va être le rôle de Remi dans la troupe? 10. Que dit Barberin au garçon avant d'arriver à la maison?

118

CHAPTER IV

Tell whether the following statements are true or false:

1. Quand Remi se lève, il sort de la maison pour parler à mère Barberin, qui travaille dans le jardin. 2. Mère Barberin a donné un coin du jardin à Remi. 3. Vitalis vient chercher Remi. 4. Vitalis ne paye à Barberin que cinq francs. 5. Vitalis regarde le garçon d'un œil cruel. 6. Remi a des larmes dans les yeux quand il sort de la maison. 7. Quand le vieux laisse tomber la main de Remi, le garçon court vite vers la maison. 8. Quand Remi monte sur le petit mur, il voit au loin la robe bleue de mère Barberin. 9. Vitalis marche aussi vite que possible. 10. Remi est plus fatigué que les chiens. 11. Quand le soir vient, le garçon a froid. 12. Un homme invite la troupe à se coucher dans une chambre chaude. 13. Vitalis porte toujours avec lui quelque chose à manger. 14. Remi cesse de pleurer quand Capi vient se coucher près de lui.

CHAPTER V

Of the three choices (a, b, c) following each statement, select the one which best completes it in accordance with the story.

1. A Ussel Remi s'intéresse _b_. (a) aux vieilles maisons (b) aux habits (c) au marché 2. C'est _b_ qui coupe le costume du garçon. (a) Remi (b) Vitalis (c) Capi 3. Remi joue le rôle d'une personne _a_. (a) stupide (b) intelligente (c) contente 4. Vitalis fait travailler la troupe _c_. (a) trois heures (b) dix minutes (c) vingt minutes 5. Quand la troupe marche dans les rues, _c_ porte Joli-Cœur sur son dos. (a) Vitalis (b) Remi (c) Capi 6. Ils arrangent leur théâtre _c_. (a) dans une salle (b) dans la rue (c) sous des arbres 7. C'est _b_ qui reçoit l'argent dans un chapeau. (a) Remi (b) Capi (c) Joli-Cœur. 8. C'est _a_ qui porte le costume d'un général anglais. (a) Joli-Cœur (b) Vitalis (c) Remi 9. Le général anglais veut avoir un _a_. (a) domestique (b) bon déjeuner (c) chien 10. Ce soir-là le petit garçon est très _b_. (a) malheureux (b) heureux (c) stupide

CHAPTER VI

Complete the following statements:

1. Vitalis connaît le pays qu'il va traverser parce qu'il sait ____. 2. Vitalis trouve les noms des pays dans un ____. 3. Remi dit qu'il n'y a pas de ____ chez mère Barberin. 4. Vitalis donne des leçons à Remi et à ____.

5. Remi travaille beaucoup parce qu'il veut être plus intelligent qu'un
_____. 6. Enfin Remi arrive à lire et à jouer de _____. 7. Le garçon est
maintenant capable de résister aux fatigues parce qu'il _____. 8. Remi n'est
plus malheureux parce qu'il _____ son maître.

CHAPTER VII

Tell whether the following statements are true or false:

1. Vitalis et sa troupe ne visitent que les très petits villages. 2. Ils
restent deux ou trois mois dans toutes les villes. 3. Vitalis marche à la tête
de la troupe avec sa flûte. 4. Le matin Remi va à l'école. 5. Joli-Cœur
est toujours content de faire sa toilette pour la comédie. 6. Vitalis veut
que Remi arrive à une position d'importance dans le monde. 7. Bordeaux
est une grande ville. 8. La troupe passe l'hiver dans une ville près des
Pyrénées. 9. A Pau les journées d'hiver sont très froides. 10. Parmi les
spectateurs dans les parcs de Pau il y a beaucoup d'enfants anglais. 11.
Vitalis a bien peur de résister à l'ordre de museler (*muzzle*) ses chiens. 12.
Joli-Cœur fait rire les spectateurs quand il prend la pose sévère de l'agent.
13. L'agent frappe le petit garçon. 14. Remi rentre à l'auberge (*inn*) sans
son maître. 15. Le lendemain, Remi reçoit une lettre de l'agent de police.
16. Remi quitte l'auberge pour aller entendre la sentence de son maître.
17. Remi sourit quand il voit Vitalis assis devant le président. 18. Le
président laisse Vitalis en liberté. 19. Le vieux est obligé de rester deux
mois en prison. 20. Vitalis aime le petit garçon comme un fils.

CHAPTER VIII

Of the three choices (*a, b, c*) following each statement select the one which
best completes it in accordance with the story:

1. Il faut que Remi quitte _a_. (*a*) l'auberge (*inn*) (*b*) la France (*c*) la
troupe 2. Remi va loin de Toulouse parce qu'il _c_. (*a*) n'a pas d'argent
(*b*) a faim (*c*) a peur des agents de police 3. Remi achète _c_ pour sa
troupe. (*a*) un bon déjeuner (*b*) de beaux habits (*c*) un peu de pain 4. Le
premier soir, la troupe se couche dans _c_. (*a*) une auberge (*b*) une église
un bois 5. C'est _a_ qui sort d'une maison avec un morceau de viande
(*meat*). (*a*) Zerbino (*b*) Capi (*c*) Dolce 6. Pendant qu'il attend un membre
de sa troupe, Remi se repose près d'un _a_. (*a*) canal (*b*) bois (*c*) village
7. Pour amuser _b_, il joue un morceau de musique. (*a*) les spectateurs
(*b*) sa troupe (*c*) son maître 8. Sur la véranda du bateau il y a un garçon

et ___. (a) un homme (b) une femme (c) un chien 9. Remi croit que le garçon est ___. (a) méchant (b) malade (c) très heureux 10. Arthur veut que les comédiens ___. (a) ne jouent plus (b) le quittent (c) s'approchent de lui 11. La femme donne ___ à la troupe. (a) un bon dîner (b) beaucoup d'argent (c) un peu de pain 12. La dame demande à Remi de ___. (a) rester sur le bateau (b) continuer son chemin (c) parler anglais

CHAPTER IX

Answer the following questions:

1. Pourquoi Remi est-il si content de rester sur le bateau? 2. Quelles villes intéressantes voit-il? 3. Pourquoi veut-il retourner à Toulouse? 4. De qui parle-t-il à madame Milligan? 5. Qu'est-ce qu'il ne voudrait jamais dire à personne? 6. Qu'est-ce que madame Milligan invite Vitalis à faire? 7. Qui va à la gare avec Remi? 8. Qu'est-ce qui fait venir les larmes aux yeux du garçon? 9. Où madame Milligan attend-elle Vitalis? 10. Pourquoi Vitalis ne veut-il pas que Remi reste avec madame Milligan? 11. Que pense Arthur du maître de Remi? 12. Qu'est-ce que madame Milligan va faire pour Remi?

CHAPTER X

Answer the following questions:

1. Qu'est-ce que Remi regrette? 2. Quelle consolation a-t-il? 3. Qu'est-ce qu'il cherche toujours? 4. Où Vitalis veut-il passer l'hiver? 5. Pourquoi les artistes s'avancent-ils avec difficulté quand ils sont en route pour Troyes? 6. Où entrent-ils? 7. Que font-ils dans la hutte? 8. Qui emporte les deux chiens? 9. Où trouvent-ils Joli-Cœur le matin? 10. Où vont-ils quand ils quittent le bois? 11. Que fait Vitalis pour le malade? 12. Que faut-il faire le soir? 13. Qu'est-ce que Joli-Cœur veut faire? 14. Qu'est-ce que la dame dit à Vitalis? 15. Que lui donne-t-elle? 16. Que trouve Vitalis quand il rentre à l'auberge?

CHAPTER XI

Tell whether the following statements are true or false:

1. Vitalis est très malheureux parce que la petite troupe a faim et froid. 2. Vitalis veut abandonner Remi à Paris. 3. Au mois de mai, Vitalis veut reprendre les grands chemins avec une troupe d'artistes. 4. L'ami de Vitalis demeure dans une belle partie de Paris. 5. Mattia invite Remi à entrer au

service du signor Garofoli. 6. Mattia est malade parce que son maître lui donne trop à manger. 7. Remi a grand'peur de Mattia. 8. Mattia frappe les autres enfants quand ils ne lui donnent pas d'argent. 9. C'est un crime de frapper un enfant sans défense, dit Vitalis. 10. Garofoli connaît le secret de Vitalis. 11. Vitalis n'est pas le vrai nom du maître de Remi. 12. Vitalis et Remi mangent un bon dîner chez Garofoli. 13. Vitalis sort de Paris parce qu'il n'a pas un sou dans la poche. 14. La main de Vitalis est chaude parce qu'il est malade. 15. Enfin le pauvre vieux se laisse tomber devant la porte d'un jardin.

CHAPTER XII

Answer the following questions:

1. Où est Remi quand il se réveille? 2. Qu'est-ce que le jardinier lui raconte? 3. Où est Capi? 4. Qui offre à Remi quelque chose à manger? 5. Quelle proposition le jardinier fait-il à Remi? 6. Pourquoi? 7. Qui arrive à ce moment? 8. Où Remi va-t-il avec l'agent de police? 9. Quel est le vrai nom de Vitalis? 10. Pourquoi Vitalis a-t-il caché son vrai nom?

CHAPTER XIII

Answer the following questions:

1. Où Remi passe-t-il tout l'hiver? 2. Nommez les membres de la famille du jardinier. 3. Quel enfant ne parle pas? Pourquoi? 4. Qui prend la place de la mère dans la famille? 5. Combien d'années Remi reste-t-il chez les Acquin? 6. Que fait-il? 7. Racontez l'histoire de la destruction du jardin. 8. Pourquoi le père quitte-t-il la famille? 9. Où vont les enfants? 10. Où va Remi?

CHAPTER XIV

Tell whether the following statements are true or false:

1. Remi trouve un ami à Paris. 2. Le maître de Mattia est en prison. 3. Mattia voudrait vendre son violon. 4. La troupe donne la première représentation devant une église à Paris. 5. Mattia sait jouer de beaucoup d'instruments. 6. La première journée, la troupe a un grand succès. 7. Remi voudrait bien acheter une vache pour mère Barberin. 8. Remi désire avoir une vache qui danse et saute. 9. Il faut que la vache mange très peu. 10. Tout le monde rit des enfants quand ils commencent à jouer.

CHAPTER XV

Complete the following statements:

1. Mattia sait jouer des instruments mais il est ignorant de la ____ de la musique. 2. Quand les garçons arrivent à la ville de Mende, ils cherchent ____. 3. L'homme chez qui ils se rendent est un ____ et un ____. 4. Mattia demande à cet homme de lui donner ____. 5. L'artiste veut faire de Mattia un grand ____. 6. Il propose à Mattia de ____. 7. Mattia ne veut pas accepter cette proposition parce que ____. 8. Le vieux donne à Mattia ____.

CHAPTER XVI

Complete the following statements:

1. Les garçons se rendent à Ussel pour ____. 2. Ils demandent à un ____ de les aider. 3. Pour remercier cet homme, les garçons lui donnent ____. 4. La femme de cet homme leur donne ____. 5. Le lendemain matin ils achètent ____. 6. Alors ils vont travailler dans ____. 7. Le soir ils rentrent à l'auberge, très heureux d'avoir encore ____.

CHAPTER XVII

Answer the following questions:

1. Pourquoi Remi est-il si heureux? 2. Qu'est-ce qu'il voit quand il s'approche de la maison? 3. Comment les garçons arrangent-ils leur surprise? 4. Qu'est-ce que mère Barberin leur dit? 5. Quelle surprise a-t-elle pour Remi? 6. Où est Barberin? 7. Que fait-il là?

CHAPTER XVIII

Tell whether the following statements are true or false:

1. Il faut que les garçons retournent tout de suite à Paris. 2. Remi voudrait faire visite à Lise mais Mattia proteste. 3. Remi achète des présents pour donner à sa famille. 4. Quand Remi voit un canal, il pense à madame Milligan et à Arthur. 5. Lise reconnaît la voix de son ami. 6. Lise demande à Remi de lui acheter une belle voiture à quatre chevaux. 7. A présent les garçons ont trop d'argent dans leur poche. 8. Ce n'est pas bon d'avoir faim à Paris. 9. Remi trouve une femme qui connaît Barberin. 10. Quand Remi arrive à Paris, Barberin est à l'hôpital, très malade. 11. A Paris Remi revoit le père de Lise. 12. Une vieille femme dit à Remi

le nom de sa famille. 13. Les parents de Remi sont Anglais. 14. Remi reçoit une lettre de mère Barberin. 15. Remi décide d'aller à Londres chercher sa famille.

CHAPTER XIX

Tell whether the following statements are true or false:

1. Remi et Mattia sont encore une fois en France. 2. Ils cherchent madame Milligan. 3. Un homme leur dit que le *Cygne* est sur la mer. 4. Les garçons passent quelques journées en bateau sur la Seine. 5. Lise est à présent avec madame Milligan. 6. Un jour Remi voit madame Milligan en bateau sur le Rhone. 7. Quand les garçons quittent le Rhone, ils continuent leur chemin en voiture. 8. Ils pensent qu'Arthur est maintenant en Suisse. 9. Les petits musiciens continuent à donner des concerts dans les rues. 10. Un jour Remi entend de derrière un mur la voix d'une jeune fille qui crie: «Remi!» 11. Il reconnaît la voix de Lise. 12. Tout le monde est heureux d'entendre parler la petite Lise. 13. Madame Milligan invite Remi et son ami à venir tout de suite chez elle. 14. Le maître d'hôtel rit des garçons, qui portent leur misérable costume de musicien des rues. 15. Madame Milligan achète de beaux habits pour les garçons. 16. Madame Milligan reconnaît les habits d'enfant que mère Barberin lui montre. 17. Mattia et Lise restent en France avec mère Barberin. 17. Remi a enfin une famille.

IDIOMATIC EXPRESSIONS

CHAPTER I

1. Il a les larmes aux yeux. 2. Il vient chez mère Barberin. 3. Les choses marchent bien. 4. Le voilà. 5. Voilà des mots très simples. 6. Ah! mon Dieu! crie-t-elle. 7. Le lendemain matin. 8. Ce qu'il y a de terrible dans ces mots. 9. Elle a faim. 10. Venir en aide à Jérôme. 11. Allons, ma belle, viens. 12. Voilà ce qui rend triste le petit Remi. 13. Tu as peur. 14. Va me chercher du bois. 15. Tout de suite. 16. La porte s'ouvre. 17. Il a un bâton (*stick*) à la main.

CHAPTER II

1. Vas-tu me donner quelque chose à manger? 2. Eh bien! 3. Je n'ai rien de plus. 4. Un garçon de huit ans. 5. Au lieu de. 6. Mais oui! 7. N'aie pas peur. 8. S'il te plaît. 9. Quel âge a-t-il? 10. Il a huit ans. 11. Il va y aller à huit ans. 12. Est-ce que ses parents le cherchent depuis huit ans? 13. Il n'est pas mon père non plus. 14. Je me dis depuis quelques mois ... . 15. Je voudrais te faire connaître ta vraie histoire. 16. Mais comment te dire cela? 17. Personne ne sait rien d'elle. 18. Il a froid. 19. Il le fait porter à l'hôpital. 20. Il ne pense plus à rien.

CHAPTER III

1. A onze heures. 2. Un grand vieux. 3. Il n'y a rien à manger. 4. Vous ne voulez plus qu'il reste chez vous. 5. Payer son pain. 6. Tout le monde. 7. Elle s'appelle Dolce. 8. Voilà pourquoi ... . 9. Tous les jours. 10. La même chose. 11. Il va le faire sortir du village. 12. Il ne sait que faire. 13. Allons! en route pour la maison!

CHAPTERS IV AND V

1. Elle ne va pas revenir avant deux heures. 2. Il entend crier son nom. 3. Il vient chercher Remi. 4. Comment s'appelle-t-il? 5. Au loin. 6. Où aller? Chez qui? 7. Voilà comment Remi, Français le matin, est Italien le soir du même jour. 8. Fais ta toilette. 9. Il se pose cette question. 10. Il leur fait recommencer la même chose, aux chiens comme à Remi. 11. Ils se rendent sur la place. 12. Il s'approche du garçon. 13. Il fait donner au garçon un bon déjeuner.

CHAPTERS VI–VIII

1. Au soir. 2. Il joue de la harpe. 3. Au revoir. 4. Ce jour même. 5. L'agent lui tourne le dos. 6. Ils rient de Joli-Cœur. 7. Ils rient de joie. 8. Il les cache au pauvre vieux. 9. Va chercher tes chiens. 10. Il n'y a plus rien à dire. 11. Il achète huit sous (cents) de pain. 12. J'ai quelque chose de malheureux à vous annoncer. 13. Il ne tombe pas d'argent dans le chapeau. 14. Il ne se fait pas répéter cet ordre deux fois. 15. Pas de chien! 16. Il ne m'oblige à rien. 17. Il demande quelque chose à sa mère.

CHAPTERS IX–XII

1. Le train de deux heures. 2. Il entend Vitalis qui l'appelle. 3. Le garçon va sortir. 4. Il ne se montre pas. 5. Je ne le pense pas. 6. Et des yeux ils cherchent partout. 7. Il descend de branche en branche. 8. Voilà tout. 9. Encore une fois. 10. Il lui prend la main. 11. Sans rien dire. 12. Te voilà inquiet, dit-il. 13. Un enfant au visage triste. 14. Il lui prend son bâton. 15. L'homme aux habits gris. 16. Il finit de jouer. 17. Je le connais depuis vingt ans.

CHAPTERS XIII–XIX

1. Depuis l'âge de quatre ans elle ne parle pas. 2. Toi, tu n'es pas de la famille. 3. Remi sait ce que c'est que d'avoir faim. 4. Personne ne m'a rien donné. 5. S'il vous plaît. 6. Remi est bien loin d'avoir tout cet argent. 7. Je veux bien. 8. Nous ne sommes pas du pays. 9. Il n'y a qu'à chercher. 10. Tous les soirs. 11. Elle n'a que quatorze ans. 12. Nous voilà bien malheureux! 13. Combien d'argent faut-il pour acheter une vache? 14. Ils sont aussi ignorants l'un que l'autre. 15. Est-ce que je veux prendre de l'argent à de bons enfants comme vous! 16. Une belle voiture à quatre chevaux. 18. Il ne sait plus que faire. 18. Elle ne le quitte pas des yeux. 19. De jour en jour.

VOCABULARY

Note.—This vocabulary contains all words and idioms in the text (including inflected verb-forms not yet taught in *Beginning French*) except: proper nouns; words very like the English in form and meaning, including words in -eux, -se (-ous); the past participle of regular -er verbs; new compounds with the prefix re- when the simple verb is known; words followed by their English meaning.

The following fourteen words and idioms, however, whose English meaning is given in the text, are also listed in this vocabulary, having been intentionally added to the total vocabulary taught at this point in the Series (Lesson X) because of (a) their high frequency, (b) the specific needs of the story, and (c), in some instances, their close relation to known French words or idioms: année, avoir chaud, courir (*inf.*), se coucher (to go to bed), depuis (since), famille, il faut, idée, lire (*inf.*), ouvrir (*inf.*), pour (+*inf.*), sans, soirée, venir chercher.

It has been assumed that students will readily recognize, from their study of the formation of the present tense of the regular conjugations, other forms of the present tense of a verb after a form with the same stem has been taught in *Si nous lisions*: e.g., je (tu) lis after il lit; je (tu) sais after elle sait. These additional inflected forms are therefore used in the text without English meanings but are listed in this vocabulary.

ABBREVIATIONS

abbrev.	abbreviation		*inf.*	infinitive
adj.	adjective		*inter.*	interrogative
adv.	adverb		*m.*	masculine
art.	article		*pl.*	plural
conj.	conjunction		*p.p.*	past participle
f.	feminine		*pres.*	present
imv.	imperative		*pron.*	pronoun
ind.	indicative		*rel.*	relative

A

à to, at, in, with, for, from

il a *pres. ind.* avoir he has

acheter to buy

agiter to wave

j'ai *pres. ind.* avoir I have; aie *imv.* have

aimer to love, like

aller to go; — chercher to go after, go and get; il va (sortir) he is on the point of (going out); allons! come!

alors then

amener to bring, lead, take

127

un **ami** friend

un **an** year; par — per year, a year; avoir (huit) —s to be (eight) years old

anglais English; un Anglais Englishman; l'anglais *m.* the English language

une **année** year

appeler to call; s'— to be named; comment s'appelle-t-il? what is his name?

s'approcher (de) to approach, draw near

après after, afterward

un **arbre** tree

l'**argent** *m.* money

tu **as** *pres. ind.* avoir you have

il **s'assied** *pres. ind.* s'asseoir he sits down

assis *p.p.* s'asseoir seated

attendre to wait, wait for

au (à+le), aux (à+les) to the, at the, in the, etc.; au loin far away; au lieu de instead of; au revoir goodbye

aujourd'hui today

auprès (de) near (to)

aussi also; — ... que as ... as

autour (de) around

autre other; un — another; — chose something else

avant before; — de before

avec with

avoir to have; — (huit) ans to be (eight) years old; — chaud to be warm; — faim to be hungry; — froid to be cold; — peur (de) to be afraid (of); il y a there is, there are; quel âge a-t-il? how old is he?

B

bas, basse low, lowered

beau, bel, belle beautiful, fine

beaucoup much, very much, many

bien, well, very, very much, certainly, indeed, good, all right, etc.

bientôt soon

blanc, blanche white

bleu blue

le **bois** wood, woods

bon, bonne good, pleasant

bonjour *m.* good day

la **bouche** mouth

le **bout** end; au — de at the end of

le **bras** arm

brûler to burn

brun brown

C

cacher to hide

ce it, he, she, they, that; — sont it is, they are; — qui, — que what, that which; est- — que (sign of a question); n'est- — pas? is it not? have you not? does she not? etc. c'est que it is because, the fact is that

ce, cet, cette this, that

cela that; c'est — that's it, that's right

ces these, those

cesser to cease; —de (jouer) stop (playing)

la **chaise** chair

la **chambre** room, bedroom

le **champ** field

le **chapeau** hat

chaud hot, warm; avoir — to be warm

le **chemin** road; le grand — highway

chercher to get, look for, try; aller — to go after, go and get; venir — to come for

le **cheval** horse; *pl.* chevaux

chez to (at) the house of; to (at) the office of

le **chien** dog

choisir to choose

la **chose** thing, affair; quelque — *m.* something; autre — something else

cinq [sɛ̃:k] five

le coin corner

combien how much, how many

comme like, as

comment how

compter [kɔ̃te] to count

je (tu) connais, nous connaissons, vous connaissez, ils connaissent *pres. ind.* connaître to know

connaître to know, be acquainted with

content glad, content

se coucher to lie down, go to bed; couché lying

la couleur color

couper to cut, cut off

courir to run, flow; il court he runs, it flows; ils courent they run; courons let us run

couvert *p.p.* couvrir covered

le cri shout

crier to cry, shout

croire to believe, think

vous croyez *pres. ind.* croire you believe, think

D

dans in

de of, from, to, with, some, any; than (in comparisons before numerals); — (jour) en (jour) from (day) to (day); — l', — la of the, from the, some, any; quelque chose — (malheureux) something (sad)

déjà already

déjeuner to breakfast

le déjeuner breakfast, luncheon; le premier — breakfast

demander to ask, ask for

demeurer to live, dwell

depuis since, for; je me dis — quelques mois I have been saying for several months (used with *pres. ind.* to denote that an action begun in the past is still going on in the present)

derrière behind

des (de+les) of the, from the, some, any

deux two; tous (les) — both

devant in front of, before

Dieu God; mon —! dear me! good heavens!

le dimanche Sunday

dire to say, tell; je (tu) dis, il dit, vous dites, ils disent *pres. ind.;* dit *p.p.* said, told; dites *imv.* tell

dix [dis] ten; — -neuf [diznœf] nineteen

tu dois, il doit *pres. ind.* devoir you owe, he owes

donner to give

le dos back

doux, douce sweet, soft, gentle

douze twelve

du (de+le) of the, from the, some, any

dur hard, harsh; avoir la tête dure to be thickheaded

E

une école school

écouter to listen

une église church

eh bien! well! very well!

l'élève *m.* or *f.* pupil

elle she, it, her

elles *f.* they

embrasser to kiss

emporter to take, carry away, excite, get the better of

en *prep.* in, by, into, to, of; de (jour) — (jour) from (day) to (day)

encore again, still, yet

l'enfant *m.* or *f.* child

enfin finally, at last, at any rate

entendre to hear; — dire to hear (said)

entrer to enter

une épaule shoulder

tu es, il est, *pres. ind.* être you are, he
(it) is

et and

vous êtes *pres. ind.* être you are

étonné astonished, surprised

être to be; c'est it (he, she) is; ce sont
it is, they are; est-ce que (sign of
a question); n'est-ce pas? is it not?
have you not? does she not? etc.;
c'est que it is because, the fact is
that; c'est cela that's it, that's right

F

la faim hunger; avoir — to be hungry; avoir grand'—to be very hungry

faire to do, make; — + *inf.* to cause
something to be done; — la
toilette to dress; — un voyage to
take a trip; — visite to pay a visit

vous faites *pres. ind.* faire you do,
make

la famille family

il faut it is necessary

la femme [fam] woman, wife

la fenêtre window

le feu fire

la feuille leaf

la fille girl, daughter; jeune — girl,
young lady

le fils [fis] son

finir to finish; — de (jouer) to finish
(playing)

la fleur flower

la fois time; une — once

ils font *pres. ind.* faire they do, make

la forêt forest

français French; le Français French-
man

le français the French language

frapper to strike, knock

le frère brother

le froid cold; avoir — to be cold (of
persons)

froid *adj.* cold

G

le garçon boy

la gare station

grand large, tall, great

gris gray

H

les habits clothes, clothing

haut high

l'herbe *f.* grass

une heure hour, o'clock

heureux, -se happy, glad

une histoire story, history

un hiver [ive:r] winter

un homme man, husband

huit [ɥit] eight

I

ici here

il he, it, there; — y a there is, there are

ils *m.* they

inquiet anxious, troubled, uneasy

inquiéter to alarm, trouble, disturb

intéresser to interest, s'— (à) to be
interested (in)

J

jamais never; ne ... — never

le jardin garden

jaune yellow

je I

jeter to throw, cast; il jette he throws

jeune young; la — fille girl

la joie joy

joli pretty

jouer to play; — de to play (upon a
musical instrument)

le jour day; tous les —s every day

la journée day

jusqu'à to, until, as far as

L

la, l', les, *f. art.* the

la, l' *f. pron.* her, it

là there
laisser to let, allow, leave
la larme tear
le, l', les *m. art.* the
le, l' *m. pron.* him, it; so (referring to
  preceding idea)
la leçon lesson
le lendemain next day; — matin next
  morning
lentement slowly
les *m.* and *f. pron.* them
leur *adj.* their; *pron.* to them, them
lever to lift, raise; se — to rise, get up
le lieu: au — de instead of
lire to read
je lis, il lit *pres. ind.* lire I read, he
  reads; lis *imv.* read
le lit bed
le livre book
loin far; — de far from; au — far
  away, in the distance
long, longue long
lourd heavy
lui to him, to her; him; it
la lumière light

M

M. *abbrev.* of Monsieur Mr.
madame *f.* Mrs., Madam; mesdames
  [medam] *pl.* ladies
la main hand
maintenant now
mais but; — oui! why yes!
la maison house; à la — at home,
  home
le maître master
malade sick
malheureux, -se unhappy, sad, un-
  fortunate
manger to eat
le marché market
marcher to go, walk
le matin morning; le lendemain --
  next morning

mauvais bad
me me, to me
méchant bad, wicked
le médecin [metsẽ] doctor
meilleur better
même same, very, very same
mener to take, lead
la mer sea
la mère mother
moi I, me, to me
moins less
le mois month
mon, ma, mes my
le monde world, people; tout le —
  everybody
monsieur [məsjø] *m.* gentleman, Mr.,
  sir
monter to go up, rise
montrer to show, point out; se — to
  appear
le morceau piece
mort dead; il est — (sans amis) he
  died (without friends)
le mot word
le mur wall

N

ne: — ... pas no, not; n'est-ce pas?
  is it not? do you not? etc.; — ...
  plus no more, no longer; — ...
  personne nobody; — ... que only;
  — ... rien nothing; — ... jamais
  never
neuf nine
le nez nose
noir black
le nom name
non no, not; — plus either
notre, nos our
nous we, us, to us

O

un œil eye; *pl.* yeux
ils ont *pres. ind.* avoir they have
onze eleven

une oreille ear
ôter to take off
ou or
où where, in which
oui yes; mais —! why yes!
ouvrir to open; il ouvre *pres. ind.* he opens; la porte s'ouvre the door opens

P

le pain bread
par by, through; commencer — to begin with; — an per year, a year
parce que because
parler to speak, talk
parmi among
la partie part
partout everywhere
pas no, not; ne ... — not
passer to pass; to spend (time)
pauvre poor
le pays [pei] country
pendant que while
penser to think
le père father
la personne person
personne: — ne nobody; ne ... — no one, nobody
petit small, little
peu little
la peur fear; avoir — (de) to be afraid (of), to fear; avoir grand'— to be very much afraid
peut-être perhaps
la place place, square
plaît: s'il te (vous) — if you please, please
pleurer to weep, cry
plus more; le — most; ne ... — no more, no longer; non — either; rien de — nothing more
la poche pocket
la poire pear
la pomme apple

la porte door, gate
porter to carry, wear
poser to place, put; to ask (a question)
pour for, to, in order to
pourquoi why
pousser to push
premier first; le — déjeuner breakfast
prendre to take
près (de) near; de plus — nearer
prêt ready
prier to pray, beg; je te (vous) prie I beg of you, please
puis then

Q

quand when
quatorze fourteen
quatre four
que *inter. pron.* what? qu'est-ce que? what? qu'est-ce que c'est (que)? what is it?
que *rel. pron.* whom, which, that; ce — what, that which
que *conj.* that, than, as; ne ... — only, rien — nothing but
quel, quelle what, which; what (a)!
quelque (s) some, a few; — chose *m.* something
qui *inter. pron.* who? whom? — est-ce —? who?
qui *rel. pron.* who, whom, which, that; ce — what, that which
quitter to leave

R

raconter to tell, relate
ramener to bring back
rappeler to recall; se — to remember, recall
il reçoit *pres. ind.* recevoir he receives
reconnaître to recognize
le regard look
regarder to look at, consider
remercier to thank
remplir to fill

rendre to give back, render, give; se
— to go

rentrer to return, come (go) back,
return home, re-enter

répondre to reply, answer

se reposer to rest

rester to stay, remain

retrouver to find, find again

réveiller to waken; se — to awake

revenir to come back

revoir to see again; au — goodbye

rien nothing, anything; ne ... —
nothing; — de plus nothing more;
— que nothing but

rire to laugh

le rire laugh

rouge red

la route road; en — pour on the way
to; en — ! let's start!

la rue street

S

je (tu) sais, il sait, *pres. ind.* savoir I
(you) know (how), he knows (how)

la salle room

sans without

sauter to jump

ils savent, nous savons, *pres. ind.*
savoir they know (how), we know
(how)

se himself, to himself, herself, itself,
themselves, each other

la semaine week

sept [sɛt] seven

si *conj.* if, whether, what if, supposing

si *adv.* so

le soir evening

la soirée evening

sois *imv.* être be

sombre dark, somber

nous sommes *pres. ind.* être we are

son, sa, ses his, her, its; un de ses
amis a friend of his

ils (elles) sont *pres. ind.* être they are

sortir to go out

sourire to smile

le sourire smile

sous under

soyez *imv.* être be

je suis *pres. ind.* être I am

sur on, upon, over

T

te you, to you

la tête head

toi, you, yourself

la toilette dressing; faire la — to dress

tomber to fall

ton, ta, tes your

toujours always, still, continually

tourner to turn; se — to turn around

tous *m. pl.* of tout all, every; — les ans
every year; — les jours every day;
— (les) deux both

tout *adj.* all; *pron.* all, everything; *adv.*
very, quite, entirely; — de suite at
once, immediately; — ce que all
that; — le monde everybody

tranquille [trãkil] calm, tranquil; sois
— don't worry

travailler to work

très very

triste sad

trois three

trop too, too much

trouver to find

tu you

U

un, une a, an, one

V

je vais, tu vas, il va *pres. ind.* aller to
go; va *imv.* go

vendre to sell

venir to come; — chercher to come
for; — en aide to come to the
assistance of, help

vers toward, to, about
vert green
je (tu) veux, il veut *pres. ind.* vouloir
   to wish, want, will; je veux bien I
   am willing, I wish very much
je (tu) viens, il vient, ils viennent
   pres. ind. venir to come; viens *imv.*
   come
vieux, vieil, vieille old
la ville [vil] city
vingt [vɛ̃] twenty; — -cinq [vɛ̃tsɛ̃:k]
   twenty-five; — -huit [vɛ̃tɥit]
   twenty-eight
le visage face
vite quickly
voici here is (are); la — here she (it) is
voilà there is (are), that is, those are;
   le — there (here) it (he) is

voir to see
la voiture carriage
la voix voice
ils vont *pres. ind.* aller they go
votre, vos your
je voudrais, il voudrait I should like,
   he would like; — bien would like
   very much, would be willing
voulez-vous? *pres. ind.* vouloir do you
   wish? will you?
vous you
le voyage trip; faire un — to take a
   trip
vous voyez *pres. ind.* voir you see
vrai true

Y

y *adv.* and *pron.* there, in it, of it
les yeux *pl.* of l'œil eyes

2/00

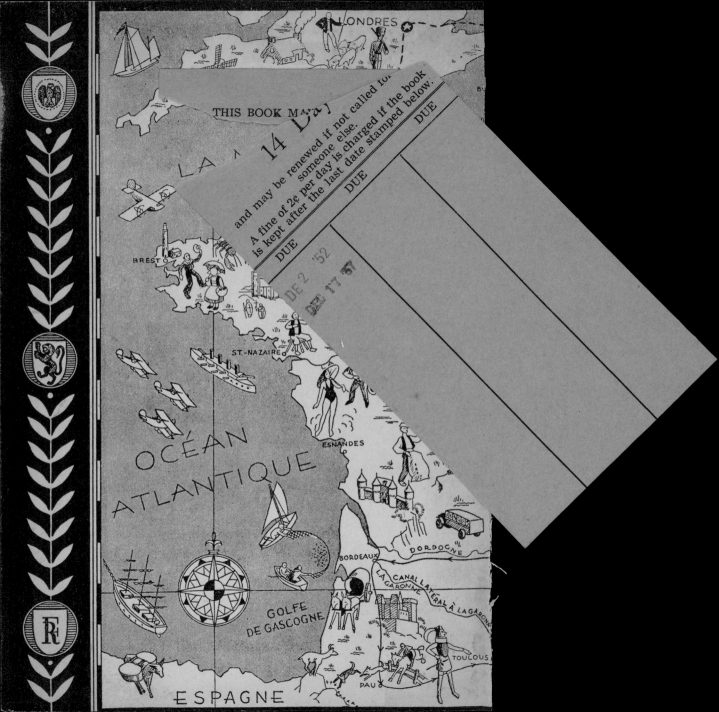